KEY TO DONDO'S MODERN FRENCH COURSE

By

M. FERLIN

PROFESSEUR AGREGE DE LANGUES VIVANTES

OXFORD
UNIVERSITY PRESS

OXFORD
UNIVERSITY PRESS

YMCA Library Building, Jai Singh Road, New Delhi 110001

Oxford University Press is a department of the University of Oxford.
It furthers the University's objective of excellence in research, scholarship
and education by publishing worldwide in

Oxford   New York

Auckland   Bangkok   Buenos Aires   Cape Town   Chennai
Dar es Salaam   Delhi   Hong Kong   Istanbul   Karachi   Kolkata
Kuala Lumpur   Madrid   Melbourne   Mexico City   Mumbai   Nairobi
São Paulo   Shanghai   Singapore   Taipei   Tokyo   Toronto

with an associated company in Berlin

Oxford is a registered trade mark of Oxford University Press
in the UK and certain other countries

Published in India
by Oxford University Press

© Oxford University Press 1988

First published in Great Britain 1931
by George Harrap & Co. Ltd.
182 High Holborn, London, W.C.I.
First Indian edition 1988
published by Oxford University Press
by arrangement with original publisher
Fourteenth impression 2002

ISBN 0-19-5602320-7

Printed in India by Ram Printograh (I), Delhi 110051
and published by Manzar Khan, Oxford University Press
YMCA Library Building, Jai Singh Road, New Delhi 110001

KEY TO
MODERN FRENCH COURSE

PREMIÈRE PARTIE

LEÇON I (p. 22)

I. 1. Voici la chaise. 2. Voilà le livre. 3. Voici l'élève. 4. Voilà la table. 5. Voici le garçon. 6. Voilà le tableau. 7. Voici la fille. 8. Voilà l'image. 9. Où est le garçon ? 10. Voilà le garçon.

II. 1. Voilà le livre. 2. Voici la chaise. 3. Voilà l'image. 4. Où est le garçon ? 5. Où est la fille ? 6. Où est l'élève ? 7. Voici le garçon. 8. Voilà l'élève. 9. Où est Marie ? 10. Voici Marie.

III. 1. Où est le garçon ? 2. Voici le garçon. 3. Où est la fille ? 4. Voilà la fille. 5. Où est la table ? 6. Voilà la table. 7. Où est la chaise ? 8. Voici la chaise. 9. Où est l'élève ? 10. Voici l'élève. 11. Où est le tableau ? 12. Voilà le tableau. 13. Où est le livre ? 14. Voici le livre. 15. Où est l'image ? 16. Voilà l'image 17. Où est Émile ? 18. Voilà Émile. 19. Où est Marie ? 20. Voici Marie.

LEÇON II (p. 25)

I. 1. Montrez-moi un crayon. 2. Montrez-moi une plume. 3. Montrez-moi une table et une chaise. 4. Montrez-moi un livre et un cahier. 5. Montrez-moi un garçon et une fille. 6. Montrez-moi un élève. 7. Montrez-moi une élève. 8. Montrez-moi un tableau. 9. Voici

3

une chaise. 10. Voilà une salle de classe. 11. Voici un crayon. 12. Voilà un cahier. 13. Voilà une image. 14. Voici un livre. 15. Voici une plume.

II. 1. Le livre est sur une table. 2. La plume est sur une image. 3. Le cahier est sous un livre. 4. L'image est dans un cahier. 5. Le professeur est dans une salle de classe. 6. L'élève est dans une salle de classe. 7. Le crayon est sur un cahier. 8. La table est dans une salle de classe.

III. 1. Montrez-moi un livre. 2. Montrez-moi une chaise. 3. Montrez-moi une table. 4. Montrez-moi un tableau. 5. Où est le cahier ? 6. Où est l'image ? 7. Montrez-moi un garçon. 8. Montrez-moi une fille. 9. L'élève est dans la (salle de) classe. 10. Où est le professeur ? 11. Montrez-moi un crayon et un cahier. 12. Le crayon est sur la table. 13. Le cahier est sous le livre. 14. Le tableau est dans la (salle de) classe.

LEÇON III (p. 28)

I. 1. Où sont les livres ? 2. Voilà les livres. 3. Montrez-moi les pupitres et les chaises. 4. Regardez les élèves. 5. Les élèves sont devant les pupitres. 6. Regardez les filles et les garçons. 7. Les filles sont derrière les garçons. 8. Les professeurs ont les cahiers. 9. Est-ce que les professeurs ont aussi les livres ? 10. Montrez-moi les images. 11. Voici les images. 12. Les images sont dans les livres.

II. 1. Est-ce que les professeurs sont dans la salle de classe ? 2. Est-ce que les élèves sont aussi dans la salle de classe ? 3. Est-ce que l'élève a trois ou quatre livres ? 4. Est-ce que les garçons sont devant ou derrière les pupitres ? 5. Les images sont dans les livres. 6. Est-ce que le livre a deux ou trois images ? 7. Les garçons ont

une plume.   8. Est-ce que les filles ont aussi une plume ?
9. Non, monsieur, les filles ont un crayon.   10. Où sont
les livres et les cahiers ?

   III.   1. Où sont les cahiers ?   2. Les cahiers sont sous
les livres.   3. Montrez-moi deux ou trois crayons.   4. Voici
deux crayons.   5. Où sont les plumes ?   6. Les plumes sont
sur le pupitre.   7. Est-ce que les livres sont aussi sur le
pupitre ?   8. Non, monsieur, les livres sont sur la table.
9. Regardez les élèves.   10. Les garçons ont quatre livres.
11. Les filles ont deux cahiers.   12. Est-ce que les élèves
ont un professeur ?

LEÇON IV (p. 32)

   I.   1. Je suis dans la salle de classe.   2. Georges est
devant le tableau.   3. Vous êtes debout.   4. Nous sommes
huit élèves.   5. Les élèves sont devant le professeur.   6. La
plume est sur le pupitre.   7. Le livre et le cahier sont sur
la chaise.   8. Le garçon et la fille sont debout.

   II.   1. Où est Georges ?   Il est devant le tableau.   2. Où
est Jeanne ?   Elle est devant la table.   3. Où est le livre ?
Il est sur la table.   4. Où est la plume ?   Elle est sur le
pupitre.   5. Où sont les garçons ?   Ils sont devant le professeur.   6. Où sont les filles ?   Elles sont derrière les
garçons.   7. Où sont les cahiers ?   Ils sont sur la table.
8. Où sont les plumes ?   Elles sont sur le pupitre.   9. Où
sont Jean et Marie ?   Ils sont dans la salle de classe.   10. Où
sont le crayon et la plume ?   Ils sont sous le livre.

   III.   1. Je suis dans la salle de classe devant les élèves.
2. Georges est derrière Jeanne.   3. Est-ce qu'il est debout ?
4. Est-ce qu'elle est debout aussi ?   5. Nous sommes
debout.   6. Vous êtes debout aussi.   7. Les cinq garçons
sont devant le professeur.   8. Est-ce qu'ils sont debout ?
9. Les filles sont devant la table.   10. Est-ce qu'elles sont
debout aussi ?   11. Où est le livre ?   12. Il est sur le

pupitre.   13. Où est la chaise ?   14. Elle est devant le
pupitre.   15. Où sont Jean et Marie ?   16. Ils sont
devant le tableau.   17. Où sont le crayon et la plume ?
18. Ils sont sous le cahier.   19. Est-ce que je suis le professeur ?   20. Est-ce que vous êtes l'élève ?

LEÇON V (p. 35)

I.   1. Le professeur a douze élèves.   2. Il parle français
très bien.   3. Les élèves parlent français.   4. Ils ont un
livre français.   5. Le professeur parle à Suzanne. 6. Suzanne, est-ce que vous avez un crayon ?   7. Et Robert,
est-ce qu'il a une plume ?   8. Est-ce que nous avons un
tableau ?   9. Est-ce que les élèves ont un professeur ?

II.   1. Où est François ?   Le voici.   2. Où est Suzanne ?
La voilà.   3. Où est le crayon ?   Le voilà.   4. Où est la
plume ?   La voici.   5. Où sont les cahiers ?   Les voici.
6. Où est l'image ?   La voilà.   7. Où sont les élèves ?
Les voilà.   8. Où sont la chaise et le pupitre ?   Les voilà.

III.   1. Le professeur a dix élèves.   2. Il parle français
à Robert.   3. Est-ce que les garçons ont un cahier ?
4. Oui, monsieur, ils ont un cahier.   5. Montrez-moi le
cahier.   6. Le voici, monsieur.   7. Est-ce que vous avez
une plume ?   8. Oui, monsieur, j'ai une plume.   9. Montrez-moi la plume.   10. La voici.   11. Où est l'image ?
12. La voici dans le livre.   13. Est-ce que nous avons une
table dans la salle de classe ?   14. Oui, madame, nous
avons une table.   15. Où est la table ?   16. La voici,
madame.   17. Très bien, Robert.

PREMIÈRE RÉVISION (p. 36)

I.   1. le livre.   2. le garçon.   3. la fille.   4. l'élève.
5. la chaise.   6. la table.   7. l'image.   8. le tableau.

II.   1. un professeur.   2. un garçon.   3. une fille.   4. un

cahier. 5. une plume. 6. une corbeille. 7. un crayon.
8. une salle de classe. 9. une table.

III. 1. les pupitres. 2. les chaises. 3. les images.
4. les cahiers. 5. les professeurs. 6. les élèves. 7. les
chaises. 8. les garçons. 9. les filles.

IV. 1. Il est devant le professeur. 2. Elle est derrière
le professeur. 3. Il est dans la salle de classe. 4. Il est
sur la table. 5. Elle est sous le cahier. 6. Elle est dans
le livre. 7. Il est devant le pupitre. 8. Elle est derrière
le garçon.

V. 1. Ils sont devant les filles. 2. Elles sont derrière
les garçons. 3. Ils sont devant le tableau. 4. Elles sont
sur les chaises. 5. Ils sont dans la salle de classe. 6. Ils
sont sur la table. 7. Elles sont derrière les pupitres. 8. Ils
sont sur le pupitre. 9. Ils sont sur le cahier. 10. Ils sont
devant le professeur.

VI. 1. Le voici. 2. La voilà. 3. Le voici. 4. La
voilà. 5. Le voici. 6. La voilà. 7. La voici. 8. Les
voilà.

IX. 1. Où est l'élève ? 2. Il est devant le tableau.
3. Les filles sont derrière les garçons. 4. Le livre est sur
la table. 5. La plume est sous le cahier. 6. Jean et
Marie sont debout. 7. Est-ce que vous avez un crayon ?

X. 1. Est-ce que vous êtes dans la salle de classe ?
2. Est-ce que Robert est debout ? 3. Est-ce qu'elle est
debout ? 4. Est-ce que les élèves sont derrière la table ?
5. Est-ce qu'ils ont un cahier ? 6. Est-ce qu'elles ont
aussi un cahier ? 7. Est-ce que le professeur parle français très bien ? 8. Est-ce que les élèves parlent français ?
9. Où est le crayon ? 10. Est-ce qu'il est sur le pupitre ?
11. Montrez-moi la plume. 12. Est-ce qu'elle est aussi
sur le pupitre ?

XI. 1. Où est le garçon ? 2. Le voilà. 3. Il est
derrière Jean. 4. Où est la fille ? 5. La voici. 6. Elle
est devant Marie. 7. Montrez-moi le crayon. 8. Le

voilà. 9. Il est sur le livre. 10. Montrez-moi la corbeille.
11. La voici. 12. Elle est sous la table. 13. Regardez le
professeur. 14. Il a un livre et une plume. 15. Il parle
français. 16. Robert, est-ce que vous êtes dans la salle
de classe ? 17. Oui, monsieur, je suis dans la salle de
classe. 18. Est-ce que Suzanne est debout ? 19. Oui.
monsieur, elle est debout. 20. Est-ce que nous sommes
derrière le professeur ? 21. Non, monsieur, nous sommes
devant le professeur. 22. Est-ce que nous avons un
tableau dans la salle de classe ? 23. Est-ce que les filles
sont derrière le tableau ? 24. Non, monsieur, elles sont
devant le tableau.

XII. (b) sɛ̃ liːvr, si krɛjɔ̃, sɛt plym, ɥi tabl, nœ ʃɛːz,
di pypitr, døzelɛːv, nœf imaːʒ, ɥitimaːʒ. sɛ̃kelɛːv, dizelɛːv,
katrəfiːj, trwɑ gɑrsɔ̃, œ̃nelɛːv, duːz kɔrbɛːj, dø prɔfɛsœːr.

LEÇON VI (p. 45)

I. 1. Oui, il y a deux hommes dans la petite chambre.
2. Les voici. 3. Oui, il y a aussi deux femmes. 4. Les
voilà. 5. Voici la mère. 6. Voilà le père. 7. Oui, il y a
aussi un chat et un chien. 8. Les voici. 9. Devant le
petit garçon il y a la mère. 10. Derrière la petite fille
il y a le chat.

II. 1. Voici un petit livre. 2. Vous avez un joli chien.
3. Les chats sont intelligents. 4. L'image est jolie. 5. La
chambre est petite. 6. La mère est très jeune. 7. Suzanne
est très intelligente. 8. Les enfants sont très petits. 9. Ils
sont très jeunes. 10. Les filles sont intelligentes. 11. Elles
sont jolies. 12. J'ai une petite chambre. 13. Elle est
jolie. 14. La grand'mère est assise. 15. Elle est intelligente. 16. Paul est très intelligent. 17. Il est assis.

III. 1. Regardez ! Voici une petite image. 2. Qu'est-
ce qu'il y a sur l'image ? 3. Il y a un homme dans une

petite chambre.   4. Le voici, assis devant une petite table.
5. Il est jeune et intelligent.   6. Il y a aussi deux enfants
dans la chambre.   7. Un petit garçon et une petite fille.
8. Julie est très jolie et très jeune.   9. Jacques est jeune
aussi et très intelligent.   10. Le père et la mère sont jeunes
aussi.   11. Regardez la grand'mère. La voilà assise.
12. Est-ce qu'il y a aussi un chien et un chat ?   13. Oui,
il y a un petit chien qui est très intelligent.   14. Il y a
aussi un petit chat qui est très joli.   15. Montrez-moi le
chien et le chat.   16. Regardez ! les voilà.

LEÇON VII (p. 49)

I.   1. Regardez l'image du livre.   2. Où est la table du
professeur ?   3. Donnez-moi le cahier de la petite fille.
4. Qui a le crayon de l'élève ?   5. Où sont les plumes
des élèves ?   6. Qui est la mère de la petite fille ?   7. Qui
est le père de l'enfant ?   8. Regardez le chien des petits
enfants.   9. Regardez le journal du grand-père.   10. Cendrillon est la jolie fille de l'histoire.   11. Les enfants de
l'homme sont contents.   12. Voilà le fauteuil de la grand'-
mère.   13. Regardez la mère de l'enfant.   14. Voici la
famille de l'homme.

II.   1. Le professeur parle français aux élèves.   2. Il
parle aux garçons et aux filles.   3. Il parle à la jeune
fille.   4. Donnez le livre au petit garçon.   5. Il dit une
histoire aux enfants.   6. Il montre une image à l'enfant.
7. Il parle à l'élève.   8. Donnez le cahier au professeur.
9. Qu'est-ce qu'il dit à l'homme ?   10. Qui parle aux
hommes ?   11. Qui donne le journal au grand-père ?
12. Elle montre le chat à la grand-mère.   13. Qui dit une
histoire aux petites filles ?   14. Qui parle à la jeune
femme ?   15. Est-ce qu'il parle à l'enfant ?

III.   1. La mère du petit garçon est debout.   2. La

grand'mère de la petite fille est assise.　3. Le grand-père
parle aux enfants.　4. La grand'mère dit (ou raconte)
l'histoire de Cendrillon aux enfants.　5. Regardez la mère
d'Alice.　6. Regardez le petit chien de Guillaume.　7. Le
chien de l'enfant est très intelligent. 8. Qui parle à
l'homme ?　9. Le grand-père de l'homme a un journal.
10. Il dit au père des deux enfants : " Nous sommes dans
le journal."　11. Nous avons un excellent journal.　12. La
famille de Monsieur Dupont est très heureuse.

LEÇON VIII (p. 53)

I.　1. Catherine aime son frère et sa sœur.　2. Elle dit
une histoire à son petit frère.　3. L'enfant regarde sa sœur.
4. Les enfants aiment leur père et leur mère.　5. La mère
regarde son petit enfant.　6. Le père donne le journal à
sa petite fille.　7. Le petit garçon parle à son chien.
8. Les enfants aiment leur chien et leur chat.　9. J'aime
beaucoup mon père et ma mère.　10. La mère aime son
fils et sa fille.　11. Nous aimons notre grand'mère.
12. Catherine aime son grand-père.

II.　(a) 1. Nous regardons notre professeur.　2. Il regarde les élèves.　3. Ils regardent le tableau.

(b) 1. Je parle à Catherine.　2. Elle parle anglais.
3. Est-ce que vous parlez français ?　4. Les élèves parlent
au professeur.

(c) 1. J'aime mon cousin.　2. Il aime ma sœur.　3. Mon
père et ma mère aiment leur fils.　4. Nous aimons notre
grand'mère.　5. Est-ce que vous aimez mon grand-père ?

(d) 1. Qui montre l'image aux élèves ?　2. Vous montrez l'image.　3. Nous montrons notre cahier.　4. Les
enfants montrent leur livre.

III.　1. Le frère de mon père est mon oncle.　2. La sœur
de ma mère est ma tante.　3. Leur fille est ma cousine.

4. J'aime beaucoup ma cousine Catherine. 5. Elle parle très peu français. 6. Nous parlons français à notre professeur, qui parle très bien. 7. Nous regardons une jolie image. 8. Il y a un père qui regarde sa fille. 9. Il y a aussi une mère qui parle à son fils. 10. Les petits enfants aiment leur grand'mère. 11. Une charmante petite fille montre son livre à sa grand'mère.

LEÇON IX (p. 57)

I. 1. Je vais chez ma cousine. 2. Voilà sa maison. 3. Ses parents sont mes voisins. 4. Ses enfants vont au lycée. 5. Nous allons au cinéma avec nos amis. 6. Mes parents ont une grande maison. 7. Voilà leur jardin. 8. Monsieur et madame Lenoir sont nos amis. 9. Nous aimons beaucoup leurs enfants. 10. Arthur est l'ami de ma sœur. 11. Hélène est mon amie. 12. J'aime aussi ma sœur et mon frère.

II. 1. Je vais chez Arthur. 2. Nous allons ensemble au cinéma. 3. Sa sœur va au lycée. 4. Mes parents vont chez leurs amis. 5. Est-ce que vous allez au théâtre ? 6. Est-ce que Jean va au lycée ?

III. 1. Est-ce que vous allez au cinéma avec vos parents ? 2. Non, je vais avec mon amie Hélène. 3. Elle est jeune et charmante. 4. Nous allons aussi au football avec son frère. 5. Leurs parents vont souvent chez ma mère. 6. Ils parlent de nos professeurs et de leurs voisins. 7. Quel âge a votre ami Arthur ? 8. Il a douze ans. 9. Quel âge a sa sœur ? 10. Elle a seize ans. 11. Est-ce qu'elle va au lycée ? 12. Oui, Hélène et son frère vont au lycée. 13. Est-ce qu'ils aiment le cinéma ? 14. Oui, nous allons souvent ensemble au cinéma. 15. Est-ce que leur oncle demeure en France ? 16. Non, il demeure en Amérique. 17. Ils parlent souvent de leurs amis d'Amérique.

LEÇON X (p. 61)

I.   1. Son mari est-il en France ?   2. Aime-t-il Paris ?
3. Votre fille va-t-elle au lycée ?   4. Parle-t-elle français ?
5. Allons-nous au théâtre ?   6. Les élèves vont-ils (*ou*
vont-elles) au cinéma ?   7. Aimez-vous le jeu de football ?
8. Est-ce que j'entre dans le salon ?   9. Regarde-t-elle
le chien ?   10. Le chien est-il intelligent ?   11. Hélène
a-t-elle douze ans ?   12. A-t-elle un frère ?   13. Est-elle
très jeune ?   14. Les femmes sont-elles toujours jeunes ?
15. Aimez-vous Hélène ?

II.   1. Oui, je le regarde.   2. Oui, je la regarde.   3. Oui,
vous les regardez.   4. Oui, il la regarde.   5. Oui, vous les
aimez.   6. Oui, je l'aime.   7. Oui, il l'aime.   8. Oui, je
l'ai.   9. Oui, vous les avez.   10. Oui, il les a.   11. Oui,
vous la donnez.   12. Oui, je la montre.   13. Oui, ils les
donnent.   14. Oui, il les aime.   15. Oui, elle l'aime.

III.   1. Je dis à ma sœur : — As-tu mon petit livre ?
2. Elle dit : — Oui, je l'ai.   3. Je l'aime beaucoup.
4. — Regardez-vous l'image ?   5. — Oui, je la regarde
souvent ; elle est très jolie.   6. Aimez-vous mon amie
Hélène ?   7. — Oui, je l'aime beaucoup.   8. Quel âge
a-t-elle ?   9. — Elle a seize ans.   10. — Va-t-elle au
lycée ?   11. — Oui, nous allons en classe ensemble.
12. — Les élèves parlent-ils français ?   13. — Oui, ils le
parlent.   14. Aiment-ils leurs professeurs ?   15. — Oui,
ils les aiment beaucoup.

DEUXIÈME RÉVISION (p. 63)

I.   1. Ma chambre est petite.   2. Son frère est grand.
3. Nos sœurs sont contentes.   4. Madame Lenoir est
jeune.   5. Son mari est jeune aussi.   6. Leurs filles sont

intelligentes.   7. L'image est jolie.   8. Suzanne est très
drôle.   9. Nos livres sont jolis.   10. Mon chien est intelligent.   11. Les filles sont très jolies.   12. Les garçons sont
contents.

II.   1. Il y a une famille.   2. La voici.   3. Le voici.
4. Les voilà.   5. Oui, il y a un chien dans la chambre.
6. Le voilà.   7. Il y a un livre.   8. La voici.   9. Les voici.
10. Les voilà.

III.   1. Regardez la jolie image.   2. La grand'mère parle
à la petite fille.   3. La mère parle au petit garçon.   4. Voici
le journal du grand-père.   5. La mère parle aux enfants.
6. La mère des enfants est jeune.   7. Qui parle à l'homme ?
8. Qui aime l'histoire de Cendrillon ?   9. Les enfants
aiment les jolies histoires.   10. Nous allons au lycée.
11. Nous parlons du cinéma.   12. Arthur va au jeu de
football.

IV.   1. Les enfants aiment leurs parents.   2. Je demeure chez mes parents.   3. Je vais au lycée avec mon
cousin et ma cousine.   4. Arthur est mon ami.   5. Sa
sœur Hélène est aussi mon amie.   6. Nous allons au cinéma
avec nos amis.   7. Robert va au théâtre avec son amie.
8. Marie demeure en France avec ses parents.   9. Suzanne
est à Paris avec son père.   10. Madame Lenoir est en
Angleterre avec son fils et sa fille.   11. Elle aime beaucoup
ses enfants.

VI.   1. Est-ce que les élèves regardent leur professeur ?
— Les élèves regardent-ils leur professeur ?   2. Est-ce que
Suzanne a mon crayon ?   — Suzanne a-t-elle mon crayon ?
3. Est-ce que son frère va au lycée ?   — Son frère va-t-il
au lycée ?   4. Est-ce que l'enfant aime son chien ?
— L'enfant aime-t-il son chien ?   5. Est-ce que nos amis
sont intelligents ?   — Nos amis sont-ils intelligents ?.
6. Est-ce que Jacques et Guillaume parlent français ?
— Jacques et Guillaume parlent-ils français ?

VII.   1. Je les aime.   2. Je l'aime.   3. Il l'aime,

4. Vous les aimez. 5. Vous la donnez. 6. Il le donne.
7. Nous les donnons. 8. Ils les donnent. 9. Il le montre.
10. Vous la montrez. 11. Je l'ai. 12. Vous l'avez.

VIII. 1. Nous sommes dans la classe. 2. Nous avons
un excellent professeur. 3. Les élèves ont deux livres.
4. Les enfants vont au lycée. 5. Ils sont intelligents.
6. Ils parlent français un peu. 7. Mes parents demeurent
en Angleterre. 8. Mon oncle demeure en France. 9. Nous
allons souvent au cinéma. 10. Ma sœur va au théâtre.
11. Elle aime sa cousine. 12. J'aime le jeu de football.

IX. 1. Il y a un bon fauteuil dans la chambre. 2. Voilà
la maison de mes parents. 3. Qui parle à mon grand-père ?
4. Où est ta sœur ? 5. Je vais souvent chez ma cousine.
6. Ma mère est toujours à la maison. 7. Qu'est-ce que dit
le journal? 8. Mon petit chat est si joli ! 9. Qu'est-ce
qu'il y a sur l'image? 10. Donne-moi encore la patte !

X. 1. Où sont tes livres ? 2. Qu'est-ce qu'il y a sur
le pupitre ? 3. Votre chien est-il très intelligent ? 4. Quel
âge as-tu ? 5. Quel âge a Marie ? 6. Est-elle très jolie ?
7. Où est votre oncle ? 8. Où est-ce que demeurent vos
parents ? 9. Parlez-vous français et anglais ? 10. Aimez-
vous beaucoup le cinéma ?

XI. 1. Regardez la jolie petite fille qui est devant la
petite table. 2. Jeanne est mon amie et son frère est aussi
un de mes amis. 3. Leurs parents, qui sont charmants,
sont nos voisins. 4. Maintenant ils demeurent à Paris et
ils ont une jolie maison. 5. Leur fils et leur fille vont au
lycée. 6. Je vais souvent chez Jean avec ma sœur. 7. Jean
est le frère de Marie. Il a quatorze ans. 8. Quel âge a
sa sœur ? 9. Elle a douze ans. 10. Nous l'aimons beaucoup et nous allons souvent au théâtre ensemble. 11. Un
ami de mes parents demeure aussi à Paris. 12. Ses deux
fils et sa fille sont très intelligents. 13. Nous les aimons
beaucoup. Ils sont jeunes et charmants. 14. Monsieur
et madame Lenoir vont chez ma mère avec leurs enfants.

15. Quand ils entrent au salon je dis " Comment allez-vous ? " à madame Lenoir et à ses enfants.

XII.   (b) sɛ̃ kuzɛ̃, nœ kuzin, œ̃ pɛir, trwɑ sœir, yn mɛir, døzɔikl, katrətɑ̃it, sɛt ʃa, dizɑ̃fɑ̃, ɥitɑ̃fɑ̃, si ʃjɛ̃, trɛiz garsɔ̃, ɔiz fiij, kɛ̃iz pypitr, duiz liivr, dizɥit elɛiv, vɛ̃ kaje, katɔrzə-ʃɛiz, sɛizimaiʒ, diznœ krɛjɔ̃, dissɛ mɛzɔ̃.

LEÇON XI (p. 71)

I.   1. Mon livre n'est pas intéressant.   2. Les images ne sont pas jolies.   3. Je n'aime pas l'autre livre.   4. Monsieur Dupont n'a pas trois enfants.   5. Ils n'aiment pas leur chien.   6. Ils n'ont pas trois chats.   7. Je n'ai pas deux frères.   8. Ils ne sont pas en Angleterre.   9. Paul, vous n'êtes pas en France.   10. Vous n'allez pas au lycée.   11. Vous n'avez pas trois sœurs.   12. Nous n'avons pas quatre cousins.   13. Ils ne sont pas intelligents.   14. Je ne suis pas à la maison.   15. Mon frère et ma sœur ne sont pas dans le salon.   16. Marie n'est pas assise.   17. Jacques n'est pas debout.   18. Paul ne parle pas à son amie.   19. Elle n'est pas fâchée.   20. Non, elle ne va pas au bal.   21. Vous n'allez pas chez Paul.   22. Mes parents ne vont pas au théâtre.   23. Je ne vais pas étudier.   24. Non, nous n'allons pas au lycée.   25. Nous n'avons pas deux grandes maisons.   26. Mademoiselle Potin n'est pas mon professeur.   27. Elle n'a pas vingt ans.   28. Elle ne parle pas français.   29. Elle n'est pas jolie.   30. Les élèves n'ont pas leurs livres.   31. Ils ne parlent pas français très bien.

II.   1. Je lui montre le cahier.   2. Il leur montre la table.   3. Nous lui donnons nos crayons.   4. Il lui donne son livre.   5. Vous leur montrez l'image.   6. Ils leur donnent le journal.   7. Je lui parle français.   8. Il lui parle anglais.   9. Il lui donne la patte.   10. Vous lui donnez le journal.   11. Il lui raconte une histoire.   12. Elle lui montre le chat.   13. Qui lui parle ?   14. Est-ce que vous leur parlez ?   15. Qui leur donne une leçon ?   16. Est-ce que Jean lui parle ?   17. Est-ce qu'elle lui parle ? 18. Nous leur donnons notre livre.   19. Je leur montre les images.   20. Qui lui parle français ?

III.   1. Je rencontre mon amie Alice dans la rue.   2. Je lui dis : " Je ne vais pas au cinéma ce soir."   3. Elle dit : " Pourquoi ? Est-ce que vous êtes malade ? "   4. Je lui dis : " Non, je ne suis pas malade, mais je n'aime pas le cinéma."   5. Est-ce que votre frère va au bal ?   6. Non, il ne va pas au bal ce soir.   7. Son professeur lui donne une leçon.   8. Elle lui parle français.   9. Il lui parle français aussi.   10. Elle montre les monuments de Paris à ses élèves.   11. Ils ne sont pas très intelligents.   12. Elle leur donne un grand livre.   13. Ils n'aiment pas son livre. 14. Ils n'ont pas leurs livres.   15. Les leçons de Mademoiselle Potin ne sont pas intéressantes.

LEÇON XII (p. 76)

II.   1. J'ai de l'encre, des plumes et du papier.   2. A-t-il des timbres et des enveloppes ?   3. Nous avons des frères et des sœurs.   4. Elle a de l'argent.   5. Les élèves ont des livres et des cahiers.   6. Ils ont des devoirs et des leçons. 7. Est-ce qu'il y a des images dans le livre ?   8. Est-ce qu'il y a des chaises dans la salle de classe ?

III.   1. J'aime les chiens.   2. Je n'aime pas les chats. 3. Nous aimons l'argent.   4. Avez-vous de l'argent ? 5. Les garçons n'aiment pas l'école.   6. Les Français ont des écoles comme les Anglais.   7. Ils ont aussi des théâtres et des cinémas.   8. Je n'aime pas le théâtre, mais j'aime le cinéma.   9. Nous étudions la géographie et les mathématiques.   10. Ma sœur étudie le francais et l'anglais,

IV. 1. J'ai du papier et de l'encre. 2. Avez-vous des timbres et des enveloppes ? 3. Nous étudions nos leçons. 4. Nous aimons l'histoire et la géographie. 5. Nous n'aimons pas les langues. 6. Nous avons des amis à l'école. 7. Les Français et les Américains aiment la liberté. 8. Les hommes aiment l'argent. 9. Avez-vous de l'argent ? 10. Donnez-moi de l'argent, s'il vous plaît. 11. Les enfants aiment l'école. 12. Est-ce qu'il y a aussi des écoles en France ? 13. Il y a des théâtres à Paris. 14. Les théâtres sont intéressants. 15. J'aime les langues. 16. J'étudie les mathématiques.

LEÇON XIII (p. 81)

II. 1. J'ai du papier mais je n'ai pas de plume. 2. Il a des enveloppes, mais il n'a pas d'encre. 3. Ils ont de l'argent, mais ils n'ont pas de travail. 4. La France a beaucoup de colonies. 5. Le pays a trop d'habitants. 6. Peu de villes sont importantes. 7. Il y a des fleuves importants. 8. Il n'y a pas assez de lacs.

III. 1. Il y a beaucoup d'élèves dans la classe. 2. Ils ont des plumes, mais ils n'ont pas de papier. 3. La France a beaucoup de villes importantes. 4. Il n'y a pas trop d'habitants en France. 5. Les Français ont assez de travail et assez d'argent.

IV. 1. Nous n'avons pas de livre, mais nous avons du papier. 2. Ils ont des plumes, mais ils n'ont pas d'encre. 3. Il a du travail et il a beaucoup d'argent. 4. Dans notre pays il y a beaucoup de rivières, mais il n'y a pas de lac. 5. Il y a trop d'habitants dans nos villes. 6. La France a-t-elle assez de colonies ? 7. Peu de Français quittent leur pays. 8. Ils gagnent beaucoup d'argent. 9. Les enfants aiment les images. 10. Nous n'avons pas d'images. 11. Voici des images. 12. Il y a beaucoup d'images dans

notre livre.   13. Pourquoi n'avez-vous pas de livres ?
14. Nos amis ont trop de livres.

LEÇON XIV (p. 84)

I.   1. Il me remercie, il te remercie, il le remercie, il la
remercie, il nous remercie, il vous remercie, il les (*m. and f.*)
remercie.   2. Le facteur me donne une lettre, le facteur te
donne une lettre, le facteur lui (*m. and f.*) donne une lettre,
le facteur nous donne une lettre, le facteur vous donne une
lettre, le facteur leur (*m. and f.*) donne une lettre.   3. Mon
père me laisse à la maison, ton père te laisse, son père le
laisse, son père la laisse, notre père nous laisse, votre père
vous laisse, leur père les (*m. and f.*) laisse à la maison.
4. Mon oncle ne m'aime pas, ton oncle ne t'aime pas, son
oncle ne l'aime pas (*m. and f.*), notre oncle ne nous aime pas,
votre oncle ne vous aime pas, leur oncle ne les (*m. and f.*)
aime pas.   5. Mes cousins ne me parlent pas, tes cousins
ne te parlent pas, ses cousins ne lui (*m. and f.*) parlent pas,
nos cousins ne nous parlent pas, vos cousins ne vous
parlent pas, leurs cousins ne leur (*m. and f.*) parlent pas.

II.   1. Je le remercie.   2. Hélène la remercie.   3. Jeanne
lui montre sa photographie.   4. Elle lui demande sa
photographie.   5. Le facteur lui apporte une lettre.   6. Il
leur apporte les lettres.   7. Il les laisse dans la boîte.
8. Jean lui montre sa lettre.   9. Jean lui dit : " Regardez."
10. Sa mère la regarde.   11. Elle lui donne la lettre.   12. Les
enfants leur montrent leur photographie.   13. Ils leur
donnent de l'argent.

IV.   1. L'oncle écrit une lettre à son neveu, Arthur.
2. Le facteur lui apporte la lettre.   3. Il la montre à sa
mère.   4. Elle lui dit : " Est-ce qu'il y a des lettres pour
ton père ? "   5. Son fils lui dit : " Il y .a beaucoup de
lettres dans la boîte."   6. Il les apporte à son père.   7. Il

lui dit : " Les voici." 8. Monsieur Lenoir dit : " Voici
des timbres. Les désires-tu ? " 9. Votre tante vous aime
beaucoup. 10. Ne l'aimez-vous pas aussi ? 11. Voici la
photographie de votre tante. 12. Arthur la regarde. Il
l'aime. 13. Son père lui dit : " Tes cousins te donnent
leur photographie." 14. Ils t'aiment bien et te remercient
de ta photographie." 15. Arthur dit : " Je les aime bien
aussi et je les remercie."

LEÇON XV (p. 89)

II. 1. Oui, j'en ai ; non, je n'en ai pas. 2. Oui, il en
a ; non, il n'en a pas. 3. Oui, il y en a une ; non, il n'y
en a pas. 4. Oui, il en désire un ; non, il n'en désire pas.
5. Oui, j'en ai un ; non, je n'en ai pas. 6. Oui, il y en a
beaucoup ; non, il n'y en a pas beaucoup. 7. Oui, ils en
gagnent assez ; non, ils n'en gagnent pas assez. 8. Oui, il
en donne trop ; non, il n'en donne pas trop.

III. 1. Oui, il en a un. 2. Non, il n'en a pas beaucoup.
3. Oui, il en désire une. 4. Non, je n'en ai pas assez.
5. J'en ai vingt-cinq. 6. J'en ai trois. 7. Il y en a trente-
deux. 8. Il y en a seize. 9. Il y en a deux. 10. Il y en
a quatre.

IV. 1. Désirez-vous de l'argent ? 2. Non, merci, j'en
ai. 3. Combien en avez-vous ? 4. Je n'en ai pas trop,
mais j'en ai assez. 5. Arthur a-t-il une bicyclette ? 6. Non,
il n'en a pas. 7. Sa sœur en a une. 8. Son ami a-t-il
un appareil de photographie ? 9. Mais oui, il en a un.
10. Combien coûte-t-il ? 11. Il coûte quatre-vingt-dix-
neuf francs. 12. Combien de boutiques y a-t-il dans la
ville ? 13. Il y en a cent. 14. Est-ce que les marchands
sont très riches ? 15. Ils n'ont pas trop d'argent. 16. Mais
ils en ont assez.

TROISIÈME RÉVISION (p. 90)

III. 1. Mon amie est malade. Son père est malade.
2. Suzanne est fâchée. Mes cousines sont fâchées. 3. Nos
leçons sont importantes. Notre lettre est importante.
4. Le français est difficile. Les langues sont difficiles.
5. Les parents d'Arthur sont très riches. Mon père n'est
pas riche. 6. Notre ville est située en France. Les grandes
villes sont situées en Amérique.

IV. (a) 1. ma photographie. 2. ma réponse. 3. mes
lettres. 4. mon enveloppe. 5. mon argent. 6. mes
timbres. 7. ma cousine. 8. ma ville. 9. ma lettre.
10. mon appareil.

(b) 1. Arthur me donne sa photographie. 2. Je lui donne
son argent. 3. Vous n'aimez pas son histoire. 4. Suzanne
désire son enveloppe. 5. Elle me montre ses lettres. 6. La
tante aime son neveu. 7. Le marchand est dans sa
boutique. 8. Mon père demande ses timbres.

V. 1. Ce soir je vais au bal. 2. Samedi nous n'allons
pas à l'école. 3. Qui explique la leçon aux élèves ? 4. Le
neveu demande de l'argent à l'oncle. 5. Il ne va pas au
lycée. 6. Ses parents sont à la maison. 7. Le professeur
parle de la France. 8. Elle raconte l'histoire des monuments. 9. Elle montre une photographie de la ville. 10. Paul
regarde la boutique du marchand. 11. Il demande le prix
des bicyclettes. 12. Robert montre l'appareil à l'enfant.

VI. 1. J'ai des timbres, mais je n'ai pas d'enveloppes.
2. Jean a des images et des photographies. 3. Arthur écrit
des lettres. 4. Il désire du papier et de l'encre. 5. Le professeur a de la craie. 6. Il raconte des histoires. 7. Nous
avons beaucoup de leçons. 8. Les élèves n'ont pas assez
de liberté. 9. Ils ont trop de travail. 10. Ils désirent des
bicyclettes. 11. Combien d'argent avez-vous ? 12. Y
a-t-il des lettres dans la boîte ?

VII. 1. Les Américains aiment la liberté. 2. Ils ont des amusements. 3. Les garçons ont des bicyclettes. 4. Les bicyclettes sont bon marché. 5. Je vais acheter des timbres. 6. Les timbres ne sont pas chers. 7. Nous avons de l'argent. 8. L'argent est important. 9. Il désire acheter du papier. 10. J'ai du papier. 11. Le français est difficile. 12. L'anglais est très facile.

VIII. 1. Arthur l'écrit. 2. Il la montre à sa mère. 3. Il lui demande un timbre. 4. Il ne l'a pas. 5. Sa sœur les a. 6. Il lui donne sa photographie. 7. Il leur montre la lettre. 8. Il leur écrit. 9. Est-ce qu'il les aime ? 10. Il ne l'aime pas. 11. Ils ne l'ont pas. 12. Je ne la demande pas. 13. Est-ce que vous le désirez ? 14. Vous ne lui parlez pas. 15. Pourquoi lui parle-t-il ?

IX. 1. J'en ai. 2. Vous les avez. 3. Il n'en a pas. 4. Ils les ont. 5. Je ne l'ai pas. 6. Elle n'en a pas. 7. Nous en avons trop. 8. En avez-vous assez ? 9. En désirez-vous un ? 10. Il y en a deux dans la boutique. 11. Je l'aime. 12. Le marchand lui montre la bicyclette.

X. 1. Donnez-moi un timbre, s'il vous plaît. 2. Combien coûte votre bicyclette ? 3. Est-ce que ses cahiers sont bon marché ? 4. Mon livre n'est pas cher. 5. Mon oncle a beaucoup de maisons. 6. Je n'ai pas assez de papier. 7. Pourquoi a-t-elle tant d'argent ? 8. Notre professeur nous donne trop de devoirs. 9. Mon frère est assis près de ma mère. 10. Pourquoi vas-tu chez ton grand-père ?

XI. 1. A-t-il des enveloppes ? 2. As-tu des plumes ? 3. Avez-vous ma lettre ? 4. Votre sœur a-t-elle mon appareil ? 5. Avez-vous vos livres ? 6. A-t-il du papier ? 7. A-t-elle une bicyclette ? 8. Avez-vous des villes importantes en France ? 9. Ont-ils de l'argent ? 10. Ai-je assez de timbres ?

XII. 1. Nous étudions les langues. 2. Le français et l'anglais sont faciles. 3. Nous avons trop de travail.

4. Nous n'avons pas assez d'amusements.   5. Je désire une bicyclette.   Je n'en ai pas.   6. Allez-vous en acheter une ?   7. Il donne de l'argent au marchand.   8. Combien d'argent lui donne-t-il ?   9. Les bicyclettes sont bon marché.   10. N'avez-vous pas d'appareil ?   11. Oui, j'en ai un.   12. Il coûte soixante et onze francs.   13. Je l'aime beaucoup.   14. Le facteur désire vous parler.   15. Est-ce qu'il m'apporte des lettres ?   16. Il y en a une de vos cousins.   17. Ils me remercient de ma photographie.   18. Je leur donne de l'argent pour acheter des livres.

LEÇON XVI (p. 99)

II.   1. Mes oiseaux sont jolis.   2. Vos neveux sont grands.   3. Nos fils sont petits.   4. Ses chevaux sont chers.   5. Leurs nez sont drôles.   6. Les gâteaux sont bon marché.   7. Les noix sont excellentes.   8. Voici les grands chevaux.   9. Voilà les petits animaux.   10. Regardez les jolis pigeons.   11. Où sont mes journaux ?   12. Nos chansons sont jolies.   13. Les jeux sont intéressants.   14. Vos mains sont petites.   15. Les geais volent.

III.   1. Martin parle à son amie.   2. Hélène explique le jeu de "pigeon vole."   3. Le cheval est un animal.   4. Le pigeon est un oiseau.   5. On lève la main pour les oiseaux.   6. On ne lève pas la main pour les nez ou les chevaux.   7. Le jeu est très amusant.   8. Nous chantons des chansons.   9. Nous mangeons des noix.   10. Nous aimons les gâteaux.

IV.   1. Les oiseaux chantent, mais les autres animaux ne chantent pas.   2. Les chats et les chiens jouent.   3. Les enfants aiment les jeux.   4. Comment joue-t-on à "pigeon vole" ?   5. Je lève la main quand je dis le nom d'un oiseau.   6. Lève-t-on la main pour les animaux et les choses ?   7. Non.   Les oiseaux volent, mais les chevaux et les gâteaux ne volent pas.   8. Nous commençons : Le geai vole.   9. Pourquoi ne levez-vous pas la main ?   10. Les geais ne sont-ils pas des oiseaux ?   11. Continuons : Les nez volent.   12. Pourquoi Martin lève-t-il la main ?   13. Est-ce que son nez vole ?   14. Les chevaux volent, les noix volent.   15. Hélène dit rapidement les noms de beaucoup d'animaux et de beaucoup de choses.   16. Beaucoup de garçons et de filles lèvent la main.   17. Leurs jeux sont très amusants.   18. Après les jeux, nous mangeons des noix, mais nous ne mangeons pas de gâteaux.

LEÇON XVII (p. 104)

I.   1. Ma maison est belle.   2. Notre salon est beau. 3. Les chaises sont belles.   4. Les fauteuils sont beaux. 5. Le papier est blanc.   6. L'enveloppe est blanche.   7. Les mains sont blanches.   8. Les cheveux sont blancs.   9. Mes parents sont vieux.   10. Notre tante est vieille.   11. Non chien est vieux.   12. Mes sœurs ne sont pas vieilles. 13. Voici un bon livre.   14. Avez-vous une bonne plume ? 15. Les noix sont bonnes.   16. Les gâteaux ne sont pas bons.   17. Mon frère est heureux.   18. Ma sœur n'est pas heureuse.   19. Les enfants sont heureux.   20. Les petites filles sont heureuses.   21. Votre leçon est longue.   22. Notre devoir n'est pas long.   23. Les histoires sont longues. 24. Les jours sont longs.   25. J'aime tout le monde.   26. Je n'aime pas tous les romans.   27. J'étudie toutes mes leçons.   28. Je travaille toute l'année.   29. Quel livre avez-vous ?   30. Quelle plume désire-t-il ?   31. Quels crayons aimez-vous ?

II.   1. Un chapeau gris.   Une robe grise.   Deux chats gris.   2. La langue anglaise.   L'histoire anglaise.   Les livres anglais.   3. La jolie image.   Le joli chien.   Les jolis oiseaux.   4. Une robe blanche.   Le papier blanc.

Les enveloppes blanches.   5. Un jeu difficile.   Une leçon
difficile.   Des devoirs difficiles.   6. Mon grand crayon.
Votre grande chambre.   Ses grandes sœurs.   7. Un bel
arbre.   Un bel enfant.   Un bel homme.

III.   1. Un bon petit enfant.   La bonne petite fille.
Les bons petits chiens.   2. Un beau livre bleu.   Une belle
robe bleue.   Les beaux oiseaux bleus.   3. Mon jeune
cousin américain.   Sa jeune amie américaine.   Mes jeunes
cousines américaines.   4. Notre vieille maison grise.   Leur
vieux cheval gris.   Ses vieux chapeaux gris.   5. Un grand
chat blanc.   Une grande barbe blanche.   Les grands
chevaux blancs.   6. Un livre français intéressant.   Une
école française intéressante.   Trois villes françaises
intéressantes.

IV.   1. Où est mon chapeau gris ?   2. Je vais à l'église
aujourd'hui avec ma vieille grand'mère.   3. Elle porte une
belle robe blanche.   4. Je n'aime pas la robe bleue de ma
sœur.   5. Quand nous entrons à l'église, tout le monde
chante.   6. Nous ne rentrons pas à la maison, mais nous
allons chez Jean.   7. Le père de Jean a deux beaux
chevaux.   8. Je n'en ai pas, mais n'ai-je pas un gros
chien ?   9. Je lui dis : " Donne-moi la patte," et il la
donne.   10. Nous mangeons beaucoup de bonnes choses.
11. Il y a des gâteaux sur la grande table.   12. Mais je n'en
mange pas.   13. Après dîner je cherche un livre français
dans la bibliothèque.   14. La sœur de Jean est assise
près d'un bon feu.   15. Elle regarde toutes les images
amusantes dans les journaux.   16. Tout le monde est
heureux, parce qu'il n'y a pas classe aujourd'hui.   17. Jean
me demande : " Quand étudiez-vous vos leçons ? "
18. Je lui dis : " Je les étudie toujours le soir."   19. Je ne
les aime pas, parce qu'elles sont trop longues.   20. Les
devoirs ne sont-ils pas longs aussi ?

LEÇON XVIII (p. 108)

III. 1. Il va chez vous. 2. Je suis chez moi. 3. Nous allons chez eux. 4. Robert et Marie sont chez nous. 5. J'étudie mes leçons avec lui. 6. Ils finissent avant nous. 7. Nous allons au cinéma sans toi. 8. Marie désire aller au bal avec nous. 9. Allez-vous avec elle ? 10. Qui va avec elles ? 11. Moi, je finis toujours mes leçons. 12. Lui, il ne les finit jamais.

IV. 1. Je leur obéis. 2. Il en choisit une. 3. Nous finissons avant eux. 4. Elle va chez eux. 5. Vous la remplissez. 6. Ils les punissent. 7. Je n'en ai pas. 8. Mon frère en a beaucoup. 9. Robert étudie avec nous. 10. Je travaille avec elles.

V. 1. Guillaume et Marie sont chez eux. 2. Nous n'allons pas chez eux. 3. Nous commençons notre dîner (*ou* à dîner) avant eux. 4. Ils finissent leur dîner (*ou* de dîner) après nous. 5. Nous remplissons toujours nos assiettes. 6. Marie ne finit jamais son dîner sans moi. 7. Elle me dit : " Pourquoi nos parents choisissent-ils toujours la même nourriture ? " 8. Je lui dis : " Tu as raison, Marie." 9. Et pourquoi nous punissent-ils, quand nous ne la mangeons pas ? 10. Moi, j'ai toujours raison, mais eux, ils n'ont jamais raison. 11. Pourquoi leur obéissons-nous ? 12. Marie désire aller avec moi au cinéma. 13. Elle n'aime pas ma cravate grise, et j'en change. 14. Je choisis une belle cravate bleue et je vais avec elle.

LEÇON XIX (p. 113)

III. 1. Qui est ce grand garçon ? 2. Qui est cette jolie demoiselle ? 3. Cet enfant est méchant. 4. Ces hommes sont bons. 5. Ces femmes sont belles. 6. Donnez-moi cette jolie cravate. 7. Regardez ce petit enfant. 8. Cet arbre est vieux. 9. Ces gants sont neufs. 10. Qui parle à cette jeune femme ? 11. Je n'aime pas ces longues histoires. 12. Cet homme n'est pas content. 13. Ces vêtements ne sont pas chers.

IV. 1. J'aime cette tarte-ci ; je n'aime pas cette tarte-là. 2. Cet élève-ci travaille bien ; ces élèves-là ne travaillent pas. 3. Cette cravate-ci est bleue ; ces cravates-là sont blanches. 4. Cette glace-ci est bonne ; cette glace-là est mauvaise. 5. Cet homme-ci est content ; ces hommes-là ne sont pas contents. 6. Ce vêtement-ci est cher ; ces vêtements-là sont bon marché.

V. 1. Nous changeons de vêtements et nous descendons. 2. Nos parents ne sont pas prêts et nous les attendons. 3. Je leur demande : " N'êtes-vous pas encore prêts ? " 4. Ils me répondent : " Nous ne descendons pas encore." 5. Enfin tout le monde est prêt. 6. Ma mère me donne ses gants et me dit : 7. " Ne perds pas ces gants. Ils sont très chers." 8. Quand nous entrons au restaurant, notre père nous dit : 9. " Désirez-vous manger à table d'hôte ou à la carte ? " 10. Nous mangeons un très bon dîner. 11. Le garçon nous demande : " Désirez-vous du dessert ? " 12. Nous lui répondons : " Oui, donnez-nous des pommes, des gâteaux, une glace et une tarte aux pommes." 13. Je demande à ma sœur : " Aimes-tu cette pomme-là ? Cette pomme-ci n'est pas bonne." 14. Elle me dit : " Tu n'es jamais content. Ces pommes ne sont pas mauvaises." 15. Ma mère lui dit : " Je n'aime pas cette tarte aux pommes. La désires-tu ? " 16. Je réponds : " Donne-moi cette tarte. Moi je l'aime."

LEÇON XX (p. 118)

I.   1. Voici un bouquet qui est beau.   2. Voilà une fleur que j'aime.   3. La femme qui vend des fleurs est vieille. 4. Les roses qu'elle vend sont bon marché.   5. Les cartes postales que nous achetons sont jolies.   6. Voici l'endroit que nous aimons.   7. Voilà un homme qui est très riche. 8. Quelles sont les choses qui vous intéressent ?   9. Voici des enfants qui jouent à " pigeon vole."   10. Aimez-vous la chanson qu'elle chante ?   11. Voici les gants que vous cherchez.   12. Aimez-vous la robe qu'elle porte ?   13. Quel est ce monument que vous regardez ?   14. Qui est cet homme qui nous regarde ?

II.   1. C'est moi qui frappe à la porte, c'est toi qui frappes, c'est lui qui frappe, c'est elle qui frappe, c'est nous qui frappons, c'est vous qui frappez, ce sont eux (*ou* c'est eux) qui frappent à la porte.   Etc.

III.   1. Va, allez, allons, à la maison.   2. Entre, entrez, entrons, dans le salon.   3. Mange, mangez, mangeons, des pommes.   4. Monte, montez, montons. . . .   5. Joue, jouez, jouons. . . .   6. Commence, commencez, commençons. . . .   7. Finis, finissez, finissons. . . .   8. Obéis, obéissez, obéissons. . . .   9. Punis, punissez, punissons. . . . 10. Descends, descendez, descendons. . . .   11. Attends, attendez, attendons. . . .   12. Frappe, frappez, frappons. . . .

IV.   1. Écoutez-le.   2. Regardez-la.   3. Voici Paul ; parlez-lui.   4. Voilà Suzanne ; parlons-lui.   5. Voici vos parents ; parlez-leur.   6. Voilà mes cousines ; montrons-leur la carte postale.   7. Voici la carte postale ; regardez-la.   8. Où sont vos gants ?   Cherchez-les. 9. Voilà une belle chanson ; écoutons-la.   10. Je ne suis pas prêt ; attendez-moi.   11. Nous descendons tout de suite ; attendez-nous.   12. Voici Marie ; montrez-lui la photographie.

V.   1. Mon frère et moi nous aimons les cartes postales que le facteur nous apporte.   2. Voici une carte postale qui est de Paris.   3. Regardons-la.   4. Regardez les femmes qui vendent des roses et des violettes.   5. Les violettes sont les fleurs que j'aime.   6. Nous avons beaucoup de fleurs dans notre jardin.   7. Nous en donnons aux voisins que nous aimons.   8. J'en donne toujours à l'ami (*ou* à l'amie) qui va en classe avec moi.   9. Voici une belle rose.   Montrons-la à Marie.   10. Allons tout de suite chez elle.   11. Elle demeure à cet endroit qui est près du marché aux fleurs.   12. Non, finissons nos leçons qui sont très longues aujourd'hui.   13. Voici Paul.   Demandons-lui où il va.   14. Il nous répond : " Je vais à la maison (*ou* chez moi)."   15. Mon chien, que j'aime beaucoup, est malade.   16. Lui et moi nous sommes deux bons amis.

QUATRIÈME RÉVISION (p. 119)

II.   1. Nos chevaux sont vieux.   2. Ces noix ne sont pas bonnes.   3. Ces jeux sont-ils amusants ?   4. Quels sont ces animaux ?   5. Leurs fils sont encore jeunes.   6. Leurs filles sont-elles jeunes ?   7. Aimez-vous ces gâteaux ?   8. Ces oiseaux chantent-ils ?   9. Mes neveux vont à la maison.   10. Les geais sont des oiseaux.

III.   1. Regardez ce bel arbre.   2. Votre sœur est très belle.   3. Ces violettes sont belles.   4. Ces enfants sont beaux.   5. Ces pommes ne sont pas bonnes.   6. Est-ce que ces gâteaux sont bons ?   7. Leurs parents sont bons.   8. Notre tante est bonne.   9. Notre maison est vieille.   10. Cet arbre est vieux.   11. Ces fleurs sont vieilles.   12. Vos vêtements sont vieux.   13. Vous perdez tous vos livres.   14. Nous étudions toutes nos leçons.   15. Elle parle tout le temps.   16. Ils ne sont pas heureux.   17. Elles sont heureuses.   18. Mon ami est heureux.   19. Son amie est heureuse.   20. Ses leçons sont longues.   21. Son nez n'est pas long.   22. Ses cheveux sont longs.   23. Elle porte toujours des robes blanches.   24. Elle a des cheveux blancs.   25. Ses mains sont blanches.

IV.   1. Une cravate grise.   2. Un joli jardin.   3. Un roman français.   4. Un bel homme.   5. Une belle petite fille.   6. Une grande maison blanche.   7. Une grande ville américaine.   8. Une vieille histoire intéressante.

VIII.   1. Qui est cet homme ?   2. Regardez cette image.   3. Écoutez cet enfant.   4. N'écoutez pas ce garçon.   5. Entendez-vous ces femmes ?   6. Qui est cette demoiselle ?   7. Je n'aime pas ces chiens.   8. Donnez-moi ces lettres.

IX.   1. Voilà une fleur que j'aime.   2. Voici une chose qui m'intéresse.   3. Voici les amis que nous attendons. 4. Regardez ces enfants qui jouent avec leur chien.   5. La robe qu'elle porte est très belle.   6. Aimez-vous les roses qui sont dans ce jardin ?   7. Voilà un homme qui est très riche.   8. Voilà des chevaux qui sont très beaux.   9. Je n'aime pas les chansons que vous chantez.   10. Qui est cet homme qui vous regarde ?

X.   1. Attendons, attendez, ces garçons.   2. Vendons, vendez. . . .   3. Mangeons, mangez. . . .   4. Achetons, achetez. . . .   5. Commençons, commencez. . . .   6. Finissons, finissez. . . .

XI: 1. Alice n'est pas prête, attendons-la.   2. Voilà son frère, regardez-le.   3. Je vais avec vous, attendez-moi. 4. Voici Robert, parlez-lui.   5. Voilà Jeanne, parlons-lui. 6. Voici vos parents, parlez-leur.   7. Marie est ici ; donnez-ui son livre.   8. Voilà Paul ; donnons-lui son argent. 9. Nos parents vont au cinéma ; allons avec eux.   10. Alice et Françoise vont à l'église ; allez-vous avec elles ?   11. Nous ne sommes pas prêts ; descendez avant nous.   12. Je finis toujours mes leçons avant elle.

XII.   1. Ces femmes-ci vendent des roses et ces femmes-là

vendent des violettes. 2. Achetez-moi des fleurs. 3. Les
choses que j'aime sont toujours chères. 4. Donnons-lui ces
belles roses blanches. 5. Montrez-les à Marie. 6. Ma sœur
et moi nous aimons les fleurs. 7. Changeons de vêtements et
allons au restaurant. 8. Mangeons à table d'hôte. 9. Garçon,
cette tarte aux pommes n'est pas bonne. 10. Donnez-nous
une glace. 11. Finissons notre dessert. 12. Je désire aller
avec lui au cinéma. 13. Ses parents ne sont pas à la maison.
14. Pourquoi n'allez-vous pas sans eux ? 15. N'aimez-vous
pas votre vieille robe bleue ? 16. Non, je ne l'aime pas,
parce qu'elle est trop longue. 17. Pourquoi n'achetez-vous
pas vos vêtements à (*ou* dans) ce magasin ?

LEÇON XXI (p. 127)

II. 1. Dépêchons-nous. 2. Ne nous dépêchons pas.
3. Habillons-nous vite. 4. Couchons-nous à neuf heures.
5. Éveillez-vous de bonne heure. 6. Ne vous levez pas
en retard. 7. Ne soyez pas en retard. 8. Ayons beaucoup d'amis. 9. Attendez-moi. 10. Ne m'attendez pas.
11. Écoutons-le. 12. Ne m'écoutez pas. 13. Soyons prêts.
14. Ayez un bon déjeuner.

III. 1. Parlez-lui. 2. Ne lui parlez pas. 3. Ne la cherchez pas. 4. Cherchons-les. 5. Ne les achetez pas.
6. Achetons-la. 7. N'allez pas chez elle. 8. Allons chez
eux. 9. Commençons sans lui. 10. Ne finissez pas avant
elle. 11. Regardez-la. 12. Ne les regardons pas.

V. 1. Quand je m'éveille le matin, je me lève tout de
suite. 2. Puis (Alors) je crie à mon frère : " Levons-nous."
3. Ne soyons pas en retard. 4. Dépêchons-nous. Il est
huit heures. 5. Si nos sœurs ne sont pas prêtes, ne les
attendons pas. 6. Elles nous crient : " Attendez-nous."
7. Ne les écoutez pas. Descendons. 8. Elles disent : " Ne
nous attendez pas." 9. Ne vous fâchez pas. Nous nous

habillons. 10. Mais elles sont encore au lit. 11. Alors
elles se lèvent et se lavent. 12. Ma mère dit : " Ne leur
portez pas leur déjeuner." 13. Allez en classe sans elles.
14. Pourquoi ne se couchent-elles pas de bonne heure ?
15. Ne les attendez pas.

LEÇON XXII (p. 133)

II. 1. Nous avons applaudi la pièce. 2. Vous n'avez
pas joué ce rôle. 3. Avez-vous entendu le coq ? 4. L'a-t-il
entendu ? 5. Pourquoi le spectre n'a-t-il pas bougé ?
6. Paul ne lui a-t-il pas parlé ? 7. Qui vous a apporté des
fleurs ? 8. Avez-vous été en France ? 9. J'ai eu cinq
francs pour aller au cinéma. 10. Pourquoi ne m'ont-ils
pas dit bonjour ? 11. Avec qui avez-vous fait une promenade ? 12. Pourquoi avez-vous perdu votre argent ?

III. 1. Ai-je perdu mon chapeau ? Je n'ai pas perdu
mon chapeau. 2. Ont-ils attendu leur ami ? Ils n'ont pas
attendu leur ami. 3. Paul obéit-il à ses parents ? Paul
n'obéit pas à ses parents. 4. Nos voisins ont-ils vendu
leur maison ? Nos voisins n'ont pas vendu leur maison.
5. A-t-elle étudié sa leçon ? Elle n'a pas étudié sa leçon.
6. Mon oncle a-t-il répondu à ma lettre ? Mon oncle n'a
pas répondu à ma lettre. 7. Lui ai-je parlé ? Je ne lui
ai pas parlé. 8. M'avez-vous entendu ? Vous ne m'avez
pas entendu.

IV. 1. Avez-vous parlé à Paul ? 2. Où l'avez-vous
rencontré ? 3. Il m'a téléphoné. 4. J'ai été chez lui.
5. Nous nous sommes promenés ensemble. 6. Je lui ai
parlé de notre pièce. 7. Nous avons eu une représentation
de *Hamlet* hier. 8. Qui a crié très fort comme un âne ?
9. Nous l'avons applaudi. 10. Alors le coq et le spectre
ont quitté la scène. 11. La pièce n'a pas réussi. 12. J'ai
demandé à mon voisin : " Avez-vous aimé la pièce ? "

13. Il m'a répondu : "Mon ami a joué un rôle important."
14. Je lui ai dit : "Quel rôle a-t-il joué ? " 15. "Ne l'avez-vous pas entendu ? "

LEÇON XXIII (p. 137)

I.   1. Ils ont déjeuné ensemble. 2. Nous sommes entrés dans le salon. 3. Elles ne sont pas entrées dans la salle à manger. 4. Elles ont fait une promenade. 5. J'ai marché rapidement. 6. Nous sommes montés en tramway. 7. Où vous êtes-vous arrêtés ? 8. Elles sont arrivées devant la maison. 9. Je leur ai parlé. 10. Nos amis ne sont-ils pas venus à midi ? 11. Ils ne sont pas rentrés chez eux. 12. Robert est tombé de sa bicyclette.

III.   1. Ils se sont levés de bonne heure. 2. Nous nous sommes dépêchés. 3. Ils se sont couchés à neuf heures. 4. Vous êtes-vous éveillé(s) de bonne heure. 5. Elle s'est habillée lentement. 6. Paul et Jean se sont fâchés souvent. 7. Votre sœur s'est-elle levée avant vous ? 8. Ils se sont habillés avant le déjeuner.

V.   1. Vous êtes-vous éveillé de bonne heure ce matin ? 2. Marie s'est éveillée à sept heures. 3. Paul et son ami sont allés dans la salle à manger. 4. Ils ont déjeuné. 5. Ensuite ils ont fait une petite promenade. 6. J'ai rencontré les deux garçons dans le parc. 7. Ils étaient fatigués et ils sont montés en tramway. 8. J'ai marché rapidement et je suis arrivé avant eux. 9. Ils m'ont dit : "Est-ce que vous venez avec nous ? " 10. Je ne suis pas allé(e) avec eux. 11. A quelle heure vos amis sont-ils arrivés ? 12. Ils sont rentrés à huit heures. 13. Je ne suis pas resté longtemps chez eux. 14. A quelle heure êtes-vous parti ? 15. Je ne me souviens pas.

LEÇON XXIV (p. 142)

I. 1. Paul est plus grand que Joseph. Joseph est
moins grand que Paul. 2. Ma sœur est plus jeune que
Marie. Marie est moins jeune que ma sœur. 3. Ces fleurs-
ci sont plus belles que ces fleurs-là. Ces fleurs-là sont
moins belles que ces fleurs-ci. 4. Cette rue-ci est plus
longue que cette rue-là. Cette rue-là est moins longue que
cette rue-ci. 5. Ces robes-ci sont plus chères que ces robes-
là. 6. Madeleine est plus élégante que Jeanne. 7. Votre
visage est plus pâle que le visage de Marie. 8. Vos yeux
sont plus bleus que le ciel. 9. Suzanne est plus spirituelle que
son frère. 10. Ces femmes sont plus vieilles que votre mère.

II. 1. Le chapeau de Jeanne est moins beau que celui
d'Alice. 2. Les cravates d'Arthur sont plus chères que
celles de Robert. 3. Donnez-moi votre crayon ; celui que
j'ai n'est pas bon. 4. Voici deux pièces ; celle-ci est plus
intéressante que celle-là. 5. Regardez ces deux robes ;
celle-ci est plus chère que celle-là. 6. Vos cheveux sont
plus longs que ceux de ma sœur. 7. Cette chambre-ci est
plus jolie que celle-là. 8. Ces garçons-ci sont plus jeunes
que ceux-là. 9. Vous avez des yeux bleus ; ceux de mon
frère sont noirs. 10. Cette jeune fille est blonde ; celle
qu'il aime est brune.

III. 1. Je suis l'élève le plus intelligent de ma classe.
2. Notre école est la plus grande de la ville. 3. Mon plus
jeune frère est malade. 4. Quelles sont les histoires les
plus amusantes de ce livre ? 5. Voilà la femme la plus
élégante du pays. 6. Ces roses sont les plus belles fleurs
du jardin. 7. Marguerite est la plus jolie fille de l'école.
8. Ma grand'mère est la plus vieille de la famille. 9. Jeanne
est la fille la plus heureuse du monde. 10. Mes cravates
sont les plus simples.

V. 1. Cette cravate-ci est plus jolie que celle-là. 2. De

toutes ces cravates, celle-ci est la plus jolie.   3. Ce chapeau
est bon marché ; celui que vous portez est plus cher que
celui-ci.   4. Ses robes sont aussi belles que celles de Marie.
5. Aimez-vous ces fleurs ?   Celles-ci sont des roses, celles-
là sont des violettes.   6. Combien coûte cette épingle de
cravate ? Celle-ci ?   7. Non, celle-là, celle que vous portez.
8. Alice n'est pas si belle que sa sœur.   9. Elle est la plus
jeune des deux.   10. Elle est aussi l'élève la plus intelligente de notre école.   11. Ces deux femmes sont les plus
élégantes de la ville.   12. Elles s'habillent toujours à la
dernière mode.   13. A quelle heure partez-vous ?   14. Je
ne sors pas aujourd'hui.   15. Vos amis sont-ils partis à dix
heures ?

LEÇON XXV (p. 147)

I.   1. Ce magasin est bon.   Il est meilleur que tous les
autres.   C'est le meilleur magasin de la ville.   2. Cette
étoffe-ci est bonne, mais elle n'est pas meilleure que celle-là.
Voici la meilleure étoffe du magasin.   3. Tous ces chapeaux
sont bons.   Mais ceux-ci sont meilleurs que ceux-là.   Ce
- sont les meilleurs.   4. Ma cravate est bon marché.   Elle
est meilleur marché que celle de Jean.   C'est la meilleur
marché du magasin.   5. Je me suis levé tôt.   Mais Jean
s'est levé plus tôt que moi.   6. Jean écrit bien l'anglais.
Mais moi j'écris mieux que lui.   C'est moi qui écris le
mieux de la classe.   7. Je lis bien aussi.   Mais Marie lit
mieux que moi.   C'est elle qui lit le mieux.

III.   1. C'est moi.   2. C'est Alice.   3. C'est ma cousine.
4. Elle est ici.   5. Non, ce n'est pas mon chien.   6. Non,
il n'est pas méchant.   7. C'est le meilleur chien du monde.
8. C'est le chien de Paul et de Jeanne.   9. Ce sont mes
amis.   10. Et ça, c'est votre chat ?   Non, ce n'est pas
mon chat ; c'est celui d'Alice.   11. Il est joli, n'est-ce pas ?
12. Oui, c'est vrai,

V.   1. Vous lisez bien, mais nous lisons mieux que cela.
2. Est-ce que je n'écris pas aussi bien que lui ?   3. Ne dites
pas cela.   4. Ce n'est pas vrai.   5. Qui est cet homme ?
6. Celui-ci ou celui-là ?   7. Celui qui nous regarde.   8. C'est
mon voisin.   9. Il est très riche.   10. Et qui sont ces deux
jeunes filles ?   11. Ce sont ses filles.   12. Ce sont les plus
jolies filles de la ville.   13. Elles portent les meilleures robes
et les meilleurs chapeaux.   14. J'aime mieux cette robe-ci
que celle-là.   15. Cette occasion-ci est meilleure que celle-
là.   16. La vendeuse m'a vendu un chapeau meilleur
marché que celui-là.   17. C'est combien ?   C'est quinze
francs.   18. Il vaut plus de dix-huit francs.

CINQUIÈME RÉVISION (p. 149)

II.   1. Ne nous levons pas tard.   2. Habillez-vous vite.
3. Ne nous dépêchons pas.   4. Couchons-nous de bonne
heure.   5. Téléphonons-lui.   6. Lavez-vous avant le déjeuner.   7. Ne nous fâchons pas.   8. Applaudissons-les.
9. Ne me quittez pas.   10. Écrivez-moi souvent.   11. Ne
faites pas cela.   12. Dites-moi cela.   13. Ne soyons pas
en retard.   14. Soyez spirituel.   15. Ayez beaucoup
d'argent.   16. Ayons du goût.

III.   1. Il a joué un rôle dans la pièce.   2. Nous l'avons
applaudi.   3. Vous avez crié comme un âne.   4. Ils ont
dit cela tout haut.   5. Qu'est-ce que vous avez fait ?
6. Vous n'avez pas bougé.   7. Pourquoi ont-ils quitté la
scène ?   8. Cette pièce n'a pas réussi.   9. Pourquoi avez-
vous dit cela ?   10. Ils ont eu une représentation cet
après-midi.   11. Tout le monde a été content.   12. Je
n'ai pas été fatigué.   13. Qui a eu le rôle du coq ?   14. Est-
ce qu'ils ne vous ont pas entendu ?   15. Il n'a pas parlé
assez haut.   16. Nous n'avons pas eu de réponse.

IV.   1. Nous nous sommes levés de bonne heure.   2. Je

ne me suis pas dépêché.   3. A quelle heure vous êtes-vous couché ?   4. Elle s'est éveillée avant moi.   5. Ils se sont lavés avant le déjeuner.   6. Elle ne s'est pas habillée à la dernière mode.   7. Pourquoi ne se sont-ils pas dépêchés ? 8. Nous ne nous sommes pas fâchés.

V.   1. Je suis allé à la campagne avec mon ami.   2. Nous sommes partis à huit heures.   3. Est-ce que vous avez rencontré Jean ?   4. Il est sorti de bonne heure.   5. Il est rentré à midi.   6. Est-ce que vous êtes monté en tramway ?   7. Nous sommes arrivés à temps.   8. Nous avons marché jusqu'à cinq heures.   9. Pierre a mangé une glace au chocolat.   10. Il a acheté un sandwich.   11. Votre cousine est venue avec nous.   12. Elle est rentrée à la maison.

VI.   1. Alice est plus spirituelle que Marguerite.   Marguerite est moins spirituelle qu'Alice.   2. Joseph est plus spirituel que Robert.   Robert est moins spirituel que Joseph.   3. Ils sont plus spirituels que nous.   Nous sommes moins spirituels qu'eux.   4. Madeleine est plus jolie qu'Isabelle.   5. Mes cousines sont plus jolies que votre sœur.   6. Votre amie est plus blonde que Marthe. 7. Ces enfants sont plus blonds que mon frère.   8. La robe de Jeanne est plus longue que la robe de Thérèse.   9. Vos cheveux sont plus longs que mes cheveux.   10. La glace au chocolat est meilleure que le gâteau.   Le gâteau est moins bon que la glace au chocolat.   11. Ces roses sont meilleures que ces violettes.   Ces violettes sont moins bonnes que ces roses.   12. Mon goût est meilleur que votre goût.   Votre goût est moins bon que mon goût.

VIII.   1. La robe de Marie est plus simple que celle de sa sœur.   2. Le visage de Louis est plus pâle que celui de Paul.   3. Les yeux de François sont plus grands que ceux d'Arthur.   4. Le ciel d'Italie est plus bleu que celui d'Angleterre.   5. La mode de Paris est plus élégante que celle de Berlin.   6. Cette étoffe-ci est meilleure que celle-là. 7. Ce magasin-ci est plus cher que celui-là. 8. Ces hommes-ci sont plus riches que ceux-là. 9. Ces femmes-ci sont plus élégantes que celles-là. 10. Ce lit n'est pas bon ; celui-là est meilleur. 11. Cette chambre à coucher est grande ; celle que vous aimez est petite. 12. Regardez ces deux garçons ; celui qui est blond est mon cousin. 13. Qui sont ceux qui jouent avec vous ? 14. Ces garçons-ci sont nos voisins, ceux-là sont nos amis.

IX. 1. Cette ville est la plus grande du monde. 2. Cet homme est le plus riche de la ville. 3. Cet élève est le plus jeune de l'école. 4. Cette femme est la plus élégante du pays. 5. Joseph est le plus vieux de la famille. 6. Son frère est le plus blond des deux. 7. Cette étoffe est la plus chère du magasin. 8. Il a le plus beau rôle de la pièce. 9. Ce parc est le plus grand du pays. 10. Les ânes sont les animaux les plus tranquilles. 11. Les roses sont les plus belles des fleurs. 12. Cette robe est la plus jolie du magasin.

X. 1. Jean est un meilleur élève que Joseph. Jean est le meilleur élève de la classe. 2. Marie parle mieux qu'Alice. Marie parle le mieux de toutes. 3. Ce magasin est meilleur que celui-là. Ce magasin est le meilleur de la ville. 4. Elle s'habille mieux que sa sœur. C'est elle qui s'habille le mieux. 5. Je me lève plus tôt que mes amis. C'est moi qui me lève le plus tôt. 6. Cette robe est meilleur marché que celle de votre mère. C'est cette robe qui est la meilleur marché. 7. Vous prononcez plus mal que votre voisin. C'est vous qui prononcez le plus mal. 8. Je me lève à sept heures plus souvent que toi. Je me lève le plus souvent à sept heures.

XI. 1. Écrivez ceci. 2. Lisez cela. 3. Faites ceci, ne faites pas cela. 4. Ne dites pas cela. 5. Donnez ce livre. 6. Lequel ? Celui-ci ? Non, celui-là. 7. Regardez ces jeunes filles. 8. Lesquelles ? Celles-ci ? Non, celles-là. 9. Qui sont ces garçons ? Lesquels ? Ceux-ci ? Non,

ceux-là.   10. Qu'est-ce que c'est que ça ?   Quoi ?   Ceci ?
Non, cela.

XII.   1. C'est Pierre.   2. Il est à la maison.   3. Elle
est chez Marthe.   4. Non, ce n'est pas ma maison ; c'est
celle de Pierre.   5. C'est une jolie maison, n'est-ce pas ?
6. Oui, c'est vrai ; elle est très jolie.   7. Ce sont des fleurs
de mon jardin.   8. Ce sont des roses, n'est-ce pas ?   Oui,
elles sont très belles.   9. Et ça, est-ce que ce sont des
violettes ?   10. Oui, elles sont aussi de mon jardin.

XV.   1. Nous ne nous levons pas de bonne heure.
2. Ma mère nous dit : " Levez-vous ! "   3. Ne soyez pas
en retard.   Habillez-vous vite.   4. Nous nous lavons et
nous nous habillons.   5. Ne nous attendez pas.   N'apportez pas mon déjeuner.   6. Je me suis couché(e) tard.
7. Vous avez fait une promenade avec moi.   8. Nous
n'avons pas rencontré nos amis.   9. Ils ne sont pas sortis
aujourd'hui.   10. Marie a été malade.   11. Je ne lui ai
pas parlé.   12. Elle est rentrée à six heures.   13. Elle
n'est pas allée en classe ce matin.   14. Mon plus jeune frère
est resté avec elle.   15. Charles est le garçon le plus intelligent de notre famille.   16. Je suis plus vieux que lui.
17. Cette pièce-ci est meilleure que celle-là.   18. Cet homme-
là joue mieux que celui-ci.   19. Ne dites pas cela.   Ce
n'est pas vrai.   20. Qui est cette femme qui nous regarde ?
21. C'est ma cousine.   22. Elle est très belle, n'est-ce pas ?

XVI.   1. Tiens ! comment allez-vous ?   2. D'habitude
vous ne vous levez pas de si bonne heure.   3. Hier soir je
me suis couché tôt.   4. Mieux vaut tard que jamais.
5. J'ai mal à la tête.   6. Elle se promène dans la rue et
parle tout haut.   7. Vous êtes rentrée à dix heures, n'est-
ce pas ?   8. Taisez-vous, mon père me parle.   9. Ses cousins
sont arrivés tous à la fois.   10. Il paraît plus jeune que
moi.   11. Je suis arrivé juste à temps pour déjeuner.
12. Elle a changé plusieurs fois de robe aujourd'hui.

LEÇON XXVI (p. 159)

I. 1. Elle y est. Elle n'y est pas. 2. J'y suis. Je n'y suis pas. 3. Ils y vont. Ils n'y vont pas. 4. J'y vais. Je n'y vais pas. 5. Ils y sont. Ils n'y sont pas. 6. Il y demeure. Il n'y demeure pas. 7. J'y suis allé. Je n'y suis pas allé. 8. Il y est allé. Il n'y est pas allé. 9. Elle y est restée. Elle n'y est pas restée. 10. Il y vient. Il n'y vient pas. 11. J'y pense. Je n'y pense pas. 12. Il y pense. Il n'y pense pas.

II. 1. J'en prends. 2. Elle y est. 3. Il y en a. 4. J'en ai une. 5. Elle y est. 6. J'en mets. 7. Il en prend. 8. Elle en vient. 9. Il y va. 10. Nous y restons. 11. Nous y pensons souvent. 12. Ce que j'en pense ? Je l'aime.

III. 1. Elle les lui donne. Elle ne les lui donne pas. 2. Il le lui demande. Il ne le lui demande pas. 3. Elle la lui donne. Elle ne la lui donne pas. 4. Ils la leur demandent. Ils ne la leur demandent pas. 5. Il la lui demande. Il ne la lui demande pas. 6. Elle la leur montre. Elle ne la leur montre pas. 7. Il les leur vend. Il ne les leur vend pas. 8. Je les leur vends. Je ne les leur vends pas.

IV. 1. Je vous le donne. 2. Hélène vous la demande. 3. Je ne vous les demande pas. 4. Nous la demande-t-il ? 5. Est-ce que vous nous la montrez ? 6. Me les demandez-vous ? 7. Paul vous la donne-t-il ? 8. Est-ce qu'il me l'apporte ? 9. Vous ne la leur montrez pas. 10. Pourquoi ne nous l'apportez-vous pas ? 11. Vous ne nous la demandez pas. 12. Pourquoi la lui donnez-vous ?

V. 1. Donnez-le-moi. Ne me le donnez pas. 2. Montrez-les-moi. Ne me les montrez pas. 3. Donnons-le-lui. Ne le lui donnons pas. 4. Demandons-les-leur. Ne les leur demandons pas. 5. Passez-la-moi. Ne me la passez pas. 6. Passez-le-nous. Ne nous le passez pas. 7. Passonsle-lui. Ne le lui passons pas. 8. Demandez-le-nous. Ne nous le demandez pas. 9. Apportez-les-leur. Ne les leur apportez pas. 10. Promettez-le-moi. Ne me le promettez pas.

VII. 1. Mettez ce tablier. 2. Je vous le donne. 3. Je le leur donne. 4. Donnez-le-lui. 5. Ne le leur donnez pas. 6. Non, ne me le donnez pas. 7. Où avez-vous mis la crème ? 8. Donnez-le-moi. 9. Ne le lui donnez pas. 10. Ne me le donnez pas. 11. Donnez-le-leur. 12. Montrez-moi toutes les tasses. 13. Montrez-les-lui. 14. Ne les lui montrez pas. 15. Elle me les montre. 16. Nous vous les montrons. 17. Votre mère est-elle à la cuisine ? Oui, elle y est. 18. Allez-vous à la maison ? Oui, j'y vais. 19. Vont-ils à l'école ce matin ? Non, ils n'y vont pas. 20. Vient-elle de l'église ? Oui, elle en vient.

LEÇON XXVII (p. 164)

I. 1. Je l'ai demandé. 2. Vous l'avez demandée. 3. Nous les avons achetés. 4. Nous ne l'avons pas écrite. 5. Les avez-vous écrites ? 6. Pourquoi ne les avez-vous pas lues ? 7. Où l'avez-vous mise ? 8. Pourquoi ne les avez-vous pas ramassées ? 9. Les avez-vous pris ? 10. L'a-t-elle nettoyée ? 11. Ne l'a-t-elle pas fait ? 12. Où les avez-vous placés ?

II. 1. Nous nous sommes levés. 2. Elle s'est levée. 3. Elles se sont habillées. 4. Nous ne nous sommes pas parlé. 5. Ils ne se sont pas salués. 6. Se sont-elles reposées ? 7. Ne se sont-ils pas fâchés ? 8. Elles ne se sont pas rencontrées. 9. Je ne me suis pas occupé(e) du ménage.

III. 1. Donnez-m'en. 2. Ne m'en donnez pas. 3. Donnez-lui-en. 4. Ne leur en donnez pas. 5. Il m'en a parlé. 6. Vous ne m'en avez pas parlé. 7. Notre voisin

nous en vend.   8. Est-ce que je vous en ai écrit ?
9. Est-ce qu'il vous en a demandé ?   10. Qu'est-ce que
vous y mettez ?   11. Y en a-t-il dans le vase ?   12. Il n'y
en a pas.

V.   1. Ma sœur a ramassé les assiettes sales.   2. Elle les
a lavées et les a placées dans l'armoire.   3. Elle a balayé la
cuisine et s'est occupée du ménage.   4. Ma mère a dit :
" Les fleurs n'ont pas besoin d'eau."   5. Prenez le vase et
mettez-y de l'eau.   6. Nous avons besoin de viande et de
légumes.   7. Je n'en ai pas acheté hier.   8. Voilà mon
porte-monnaie, donnez-le-moi.   9. Je n'ai pas d'argent,
donnez-m'en.   10. Elle n'est pas allée au marché.   11. Elle
a écrit une lettre et elle a lu le journal.   12. Ma mère et ma
sœur se sont reposées.   13. Elles ne se sont pas parlé.
14. Elles se sont endormies.   15. Elles dorment encore.

LEÇON XXVIII (p. 169)

II.   1. Je n'entrerai pas dans votre chambre.   2. Il
obéira à ses parents.   3. Aurez-vous des mouchoirs brodés ?
4. Nous n'oublierons pas notre porte-monnaie.   5. Ils ne
feront rien.   6. Je saurai ma leçon.   7. Nous prendrons le
tramway.   8. Est-ce que vous lirez ce roman ?   9. Quand
vous écrira-t-il ?   10. Ils ne vendront pas leur maison.
11. Je me laverai avec de l'eau chaude.   12. Elles ne vous
écouteront pas.   13. Il s'arrêtera ici.   14. Est-ce que vous
ne mangerez pas au restaurant ?   15. Qu'est-ce que vous
répondrez ?   16. Elles ne mettront pas leurs gants.

III.   1. Je lui parlerai quand il arrivera.   2. Lorsqu'elle
entrera vous lui demanderez son nom.   3. Aussitôt que
vous saurez le français, vous écrirez à vos cousins.   4. Dites-
lui au revoir quand elle partira.   5. Quand j'aurai seize
ans je serai grand et fort.   6. Nous regretterons l'école
quand nous serons plus vieux.   7. Vous comprendrez dès

qu'on vous expliquera.   8. Quand ils seront assis, nous leur parlerons.

IV.   1. Être.   2. Faire.   3. Avoir.   4. Savoir.   5. Apprendre.   6. Comprendre.   7. Prendre.   8. Écrire.   9. Écouter.   10. Partir.   11. Sortir.   12. Descendre.   13. Lire.   14. Se laver.   15. Faire.

V.   1. Ils vendront.   2. Vous punirez.   3. Je remplirai.   4. Ils choisiront.   5. Elle entendra.   6. Je n'aurai pas.   7. Je ne saurai pas.   8. Ils ne feront pas.   9. Serons-nous ?   10. Ne seront-ils pas ?   11. Je m'habillerai,   12. Est-ce qu'il regardera ?   13. Entendrez-vous ?   14. Je n'écrirai pas.   15. Elles prendront.   16. Il ne comprendra pas.   17. Nous n'entendrons pas.   18. Ils montreront.   19. Ils monteront.   20. Vous oublierez.   21. Je travaillerai.   22. Je n'étudierai pas.   23. Étudierez-vous ?   24. Ne prendra-t-il pas ?   25. Ils ne mettront pas.   26. Vous lirez.   27. Je prendrai.   28. Nous nous coucherons.   29. Ils ne crieront pas.   30. Il sortira.   31. Je perdrai.   32. Je ne mettrai pas.

VI.   1. L'année dernière mon oncle m'a donné un appareil photographique.   2. L'année prochaine il me donnera une bicyclette.   3. Ma sœur aura brodé des mouchoirs.   4. Son anniversaire aura lieu la semaine prochaine.   5. Je ne l'oublierai pas.   6. Les livres sont toujours à la mode.   7. Je lui en donnerai.   8. Est-ce qu'elle aimera ce cadeau ?   9. Quand elle rentrera, je le lui demanderai.   10. Savez-vous quand votre père sera à la maison ?   11. Dès qu'il arrivera nous ferons une promenade.   12. Je resterai à la maison, mais ma sœur sortira avec vous.

LEÇON XXIX (p. 174)

I.   1. J'achète un timbre.   J'achèterai un timbre.   2. J'appelle Marie.   J'appellerai Marie.   3. Je répète la phrase.   Je répéterai la phrase.   4. Je nettoie la chambre.

Je nettoierai la chambre.   5. J'essuie le tableau. J'essuierai le tableau.   6. Je mange des pommes. Je mangerai des pommes.   7. Je commence la leçon. Je commencerai la leçon.   8. Je me lève de bonne heure. Je me lèverai de bonne heure.   9. J'espère encore. J'espérerai encore. 10. J'amène un ami. J'amènerai un ami.   11. Je me promène. Je me promènerai.   12. Je me rappelle. Je me rappellerai.

II.   1. Serez-vous à la maison ?   2. J'irai chez moi. 3. Qui viendra avec vous ?   4. J'amènerai mon ami. 5. Aura-t-il sa bicyclette ?   6. Il m'appellera.   7. Que ferez-vous ?   8. Nous nettoierons notre chambre.   9. Marie essuiera la table.   10. Elle jettera tous les papiers.   11. Je répéterai tous les mots.   12. Ils célébreront leur anniversaire.   13. Je saurai où ils seront.   14. Vous ne saurez pas quand ils viendront.   15. Quand commencerons-nous notre travail ?   16. Quand mangerons-nous ?   17. Est-ce que vous ne viendrez pas ?   18. Iront-ils chez eux ?   19. Ils ne seront pas prêts.   20. Ils n'auront pas d'argent.

III.   1. Espérer.   2. Lever.   3. Se lever.   4. Appeler. 5. S'appeler.   6. Nettoyer.   7. Essuyer.   8. Être.   9. Faire. 10. Être.   11. Dire.   12. Venir.   13. Aller.   14. Avoir. 15. Amener.

VI.   1. Mon père vient d'arriver.   2. Il m'a dit qu'il m'emmènera à Londres.   3. Demain matin je me lèverai de bonne heure.   4. Je serai prêt avant tous les autres.   5. Nous irons à la gare à huit heures.   6. Ma mère et ma sœur ne viendront pas avec nous.   7. L'anniversaire de ma sœur aura lieu la semaine prochaine.   8. Ses ami(e)s lui feront des cadeaux.   9. Elle aura alors seize ans.   10. Elle est occupée à nettoyer sa chambre maintenant.   11. Ma mère vient de sortir.   12. Elle est allée au marché avec sa voisine.   13. Comment s'appelle sa voisine ?   14. Elle s'appelle Marie.   15. Elle m'achètera une douzaine de cravates.   16. J'espère que je les aimerai.

LEÇON XXX (p. 180)

I.   1. Voilà le sien ; où est le mien ?   2. Voici la vôtre ;
où est la mienne ?   3. Voici les miens, et voilà les vôtres.
4. Les siennes sont bleues ; les miennes sont rouges.
5. Les leurs sont petites ; les nôtres sont grandes.   6. Nous
avons pris la nôtre ; nous n'avons pas pris la leur. 7. Vous
avez pris le mien ; voici le vôtre.   8. Je sais la mienne ;
savez-vous la vôtre ?   9. Je n'aime pas les vôtres ;
donnez-moi les siennes.   10. Les leurs sont difficiles, mais
les nôtres sont faciles.   11. La nôtre est plus grande que
la sienne.   12. La sienne est moins belle que la nôtre.

II.   1. Notre hôtel est plus grand que le vôtre.   2. Notre
chambre est plus jolie que la sienne.   3. Vos cols sont plus
petits que les miens.   4. Il a salué mes parents ; a-t-il
salué les vôtres ?   5. Nous étudierons nos leçons ; étudie-
ront-ils les leurs ?   6. Je ferai mon devoir ; fera-t-il le
sien ?   7. Il écrira à ses parents ; écrirez-vous aux vôtres ?
8. J'ai vu un de mes amis ; a-t-il vu un des siens ?   9. J'ai
parlé à mon professeur ; avez-vous parlé au vôtre ?   10. Il a
fait un cadeau à ma mère ; en avez-vous fait à la vôtre ?

III.   1. Quelle robe porterez-vous ce soir ?   Laquelle
préférez-vous ?   2. Quels gants sont à vous ?   Lesquels
sont à moi ?   3. Quelles pièces avez-vous lues ?   Lesquelles
aimez-vous ?   4. Laquelle est la meilleure, ma valise ou
la vôtre ?   5. Lequel est le plus cher, cet hôtel-ci ou celui-
là ?   6. Quelle belle femme !   7. Quel beau chapeau !
8. Quelle leçon avez-vous étudiée ?   9. A quelle heure
commence la classe ?   10. Dans quelle ville demeurez-
vous ?

V.   1. Je vois mon peigne, mais je ne vois pas le vôtre.
2. A qui sont ces valises ?   3. Celle-ci est à moi, et celle-là
est celle de ma mère.   4. La mienne est plus petite que la
sienne.   5. Dans quelle valise sont les cravates que vous

avez achetées ? 6. Je ne sais pas dans laquelle je les ai mises. 7. Quelle belle robe vous portez aujourd'hui ! 8. Nous avez-vous apporté des cadeaux ? 9. Oui, en voici. Celui-ci est celui de votre frère. 10. Voilà le vôtre. 11. Le mien est meilleur que le sien. 12. Oui, mais celui de votre frère est le plus cher. 13. Lequel préfère-t-il ? 14. Ne lui donnez pas celui-là, donnez-le-moi.

SIXIÈME RÉVISION (p. 181)

I. 1. Oui, il en prend. Non, il n'en prend pas. 2. Oui, j'en mange. Non, je n'en mange pas. 3. Oui, elle y est. Non, elle n'y est pas. 4. Oui, j'en prends. Non, je n'en prends pas. 5. Oui, elle y est. Non, elle n'y est pas. 6. Oui, il y va. Non, il n'y va pas. 7. Oui, elle en vient. Non, elle n'en vient pas. 8. Oui, j'y pense souvent. Non, je n'y pense pas souvent. 9. Oui, elle y est restée longtemps. Non, elle n'y est pas restée longtemps. 10. Oui, j'y suis allé. Non, je n'y suis pas allé.

II. 1. Je le lui passe. 2. Elle la lui demande. 3. Nous y en mettons. 4. Pourquoi ne les y mettez-vous pas ? 5. Pourquoi ne le lui donnez-vous pas ? 6. Ne la leur montrez pas. 7. Apportez-leur-en. 8. Donnez-la-lui. 9. Paul leur en demande-t-il ? 10. Ne leur en donnez pas.

III. 1. Elle l'a allumé. 2. Je les ai ramassées. 3. Nous l'avons nettoyée. 4. Ils l'ont balayée. 5. Vous ne l'avez pas oublié. 6. Pourquoi ne l'a-t-elle pas nettoyée ? 7. Où les avez-vous mis ? 8. Pourquoi ne l'avez-vous pas mise ? 9. Donnez-m'en. 10. Ne vous en occupez pas. 11. Mettons-les-y. 12. N'y en avez-vous pas mis ?

IV. 1. Ma sœur s'est levée avant moi. 2. Ces dames ne se sont pas saluées. 3. Ces hommes se sont reposés. 4. Ils ne se sont pas parlé. 5. Nous ne nous sommes pas fâchés. 6. Ma mère s'est occupée du ménage. 7. Elles se sont habillées à la dernière mode. 8. Pourquoi ne se sont-ils pas dépêchés ? 9. Ils se sont endormis. 10. Elle s'est endormie.

V. 1. Ils ne me donneront pas mon déjeuner. 2. Il n'oubliera pas mon anniversaire. 3. Vous m'écrirez une lettre. 4. Nous resterons dans notre chambre. 5. Aura-t-il un cadeau ? 6. Elle ne sera pas à la maison. 7. Je ne dirai rien. 8. Qu'est-ce qu'ils liront ? 9. Quand partirez-vous ? 10. Je ne vous entendrai pas. 11. Est-ce qu'ils sauront cela ? 12. Je ne saurai rien. 13. Où serons-nous ? 14. Elles n'auront pas d'argent. 15. Moi j'en aurai. 16. Est-ce qu'il comprendra cela ? 17. Prendrez-vous du café ? 18. Le tramway ne s'arrêtera pas ici. 19. Quel chapeau mettra-t-elle aujourd'hui ? 20. A quelle heure nous lèverons-nous ?

VI. 1. Vous aurez votre déjeuner quand je descendrai. 2. Je vous écrirai quand vous serez à Paris. 3. Dès qu'il aura vingt ans il partira. 4. Aussitôt que nous serons arrivés nous mangerons. 5. Lorsque je saurai ma leçon je jouerai. 6. Dès que je rentrerai je m'habillerai.

VII. 1. Vous êtes. Vous avez été. 2. Nous faisons. Nous avons fait. 3. Ils ont. Ils ont eu. 4. Je sais. J'ai su. 5. Tu apprends. Tu as appris. 6. Comprend-il ? A-t-il compris ? 7. Ils ne prennent pas. Ils n'ont pas pris. 8. Je n'écris pas. Je n'ai pas écrit. 9. Dormez-vous ? Avez-vous dormi ? 10. Elle ne part pas. Elle n'est pas partie. 11. Quand sortez-vous ? Quand êtes-vous sorti ? 12. Je ne descends pas. Je ne suis pas descendu. 13. Ne lit-elle pas ? N'a-t-elle pas lu ? 14. Elles se lavent. Elles se sont lavées.

VIII. 1. A quelle heure commençons (commencerons)-nous ? 2. Je n'essuie (essuierai) pas la table. 3. Il répète (répétera) la même chose. 4. Nous ne nous levons (lèverons) pas à six heures. 5. Qui amène (amènera)-t-il avec lui ? 6. Elles ne nettoient (nettoieront) pas leur

chambre. 7. Comment vous appelez (appellerez)-vous ?
8. Qu'est-ce que nous achetons (achèterons) ? 9. Je
n'espère (espérerai) pas cela. 10. Qu'est-ce que vous jetez
(jetterez) ? 11. Qu'est-ce qu'ils font (feront) ? 12. Je ne
suis (serai) pas chez moi. 13. Elle va (ira) à la gare. 14. Ils
ne viennent (viendront) pas chez nous. 15. Je n'ai (aurai)
pas de nouvelles. 16. Nous faisons (ferons) un voyage en
bateau. 17. Elle célèbre (célébrera) son anniversaire.
18. Il ne se souvient (souviendra) pas de mon nom. 19. A
qui appartient (appartiendra) cette douzaine de mouchoirs ?
20. Je me rappelle (rappellerai) ce long voyage. 21. Je me
promène (promènerai) avec vous.

X. 1. Donnez-moi la vôtre. 2. Voici le mien. 3. Ils
n'ont pas encore fini la leur. 4. Les miens sont bruns.
5. Le vôtre est rose. 6. Les siennes sont élégantes. 7. Les
tiens n'en ont pas. 8. Le vôtre est cher. 9. Voici les
tiens. 10. Avez-vous téléphoné à la vôtre ? 11. Je n'ai
pas écrit aux miennes. 12. Où est celle des vôtres ?

XI. 1. A quel hôtel irons-nous ? Lequel est meilleur
marché ? 2. Quels amis inviterez-vous ? Lesquels
amènerez-vous ? 3. Quelle robe mettrez-vous ce soir ?
Laquelle avez-vous brossée ? 4. Quel magasin est le
meilleur ? Auquel irons-nous ? 5. Quelles pièces avez-
vous lues ? Desquelles parlez-vous ? 6. Quels mouchoirs
sont à vous ? Lesquels sont à moi ? 7. Voici deux
valises, laquelle est à lui ? 8. Quelle chance ! 9. Quelle
jolie toilette ! 10. Quels beaux peignes !

XII. 1. Qu'est-ce que vous voyez maintenant ? 2. Je
ne vois rien. 3. Il nous verra demain. 4. Est-ce que vous
m'avez vu hier ? 5. Pourquoi croyez-vous cela ? 6. Je
ne crois pas cela. 7. Je l'ai cru hier. 8. Je ne le croirai
pas demain. 9. Est-ce qu'ils prennent le train aujourd'hui ?
10. Ils l'ont pris hier. 11. Ils ne le prendront pas demain. 12. Qu'est-ce qu'il met dans ce vase maintenant ?
13. Qu'est-ce qu'il a mis hier ? 14. Qu'est-ce qu'il mettra

demain ?   15. Je lis le journal maintenant.   16. Je lirai un roman ce soir.   17. J'ai lu une pièce hier.   18. A qui écrivez-vous maintenant ?   19. A qui écrirez-vous demain ? 20. A qui avez-vous écrit hier ?   21. Est-ce qu'elles savent leurs leçons maintenant ?   22. Est-ce qu'elles les ont sues hier ?   23. Je les saurai demain.

XIII.   1. Où est votre cuisine ?   Montrez-la-moi.   2. Ne la lui montrez pas.   3. Montrez-la-leur.   4. Passez-moi le sucre.   Passez-le-lui.   5. Ne le lui passez pas.   Pourquoi ne le leur passez-vous pas ?   6. Donnez-moi ces tasses blanches.   Ne les leur donnez pas.   7. Est-ce que mon tablier est dans l'armoire ?   Non, il n'y est pas.   8. Est-ce qu'il y a du sucre dans mon café ?   Non, prenez-en et mettez-y-en.   9. Est-ce que vous avez lavé les plats sales ? 10. Oui, je les ai lavés et les ai essuyés.   11. A-t-elle allumé le feu du fourneau ?   Non, elle ne l'a pas allumé.   12. Avez-vous mis les tasses sur la table ?   Oui, je les y ai mises. 13. Avez-vous mangé les légumes que nous avons rapportés du marché ?   14. Avez-vous besoin de viande aujourd'hui ? Non, j'en ai acheté ce matin.   15. Ces enfants se sont couchés de bonne heure et ils se sont endormis tout de suite.   16. Quand ils s'éveilleront, vous leur donnerez leur déjeuner.   17. Ils auront des œufs et de la confiture. 18. Ensuite vous ferez leurs lits.   19. Savez-vous quand aura lieu mon anniversaire ?   Oui, je m'en souviendrai.   Je vous apporterai des cadeaux.   20. Ces mouchoirs seront prêts juste à temps.   21. Votre oncle viendra la semaine prochaine.   22. Quand il arrivera, j'irai à la gare.   23. Il m'emmènera au magasin, et il m'achètera une épingle de cravate.   24. J'aurai quinze ans la semaine prochaine. 25. Comment s'appelle votre chien ?   26. Lequel ?   Celui-ci ou celui-là ?   27. Celui-là n'est pas à moi.   Il appartient à Paul.   28. Le mien s'appelle Hector.   Il est propre, parce que je l'ai peigné et brossé.   29. Quel bel animal !   C'est mon meilleur ami.   30. Voyez-vous ces peignes ?   A qui sont-ils ?   31. Ceux que vous regardez sont à lui et à son frère.   32. Ceux-ci sont à nous ; ils ne sont pas à eux.

LEÇON XXXI (p. 192)

I.   1. Qui est entré dans le restaurant ?   2. A qui a-t-il parlé ?   3. Qu'est-ce que le garçon lui a dit ?   4. Qu'est-ce qu'ils ont lu attentivement ?   5. Qui a apporté la carte du jour ?   6. Qui a commandé un bifteck ?   7. Qu'est-ce qu'Arthur a bu ?   8. Qu'est-ce qui est tombé ?   9. Qui a pris la serviette d'Arthur ?   10. A qui monsieur Lenoir a-t-il donné un pourboire ?   11. Qu'est-ce que c'est qu'un pourboire ?   12. Qu'est-ce que c'est qu'un hors-d'œuvre ?   13. Qu'est-ce que vous buvez ?   14. Qu'est-ce que vous avez mangé ?   15. A qui pensez-vous, à Paul ou à Pierre ?   16. A quoi pensez-vous, à vos leçons ou au jeu de football ?   17. Que dit-il ?   18. Qu'est-ce qu'il dit ?   19. Qu'est-ce que c'est ?   20. A qui est-ce que vous parlez ?

II.   1. Qui est-ce qui vous a dit cela ?   2. Qu'est-ce qui tombe ?   3. Qui est-ce que vous emmenez avec vous ?   4. Qu'est-ce que vous lui avez dit ?   5. De qui est-ce que vous parlez ?   6. De quoi est-ce que vous avez parlé ?   7. A qui est-ce que vous avez donné le pourboire ?   8. A quoi est-ce que vous pensez ?   9. Avec qui est-ce que vous allez à Paris ?   10. Avec quoi est-ce que vous le faites ?   11. Qu'est-ce que c'est que ce papier ?   12. Qu'est-ce que vous avez vu ?

III.   1. Qu'est-ce que vous préférez ?   2. Quel potage préférez-vous ?   3. Lequel de ces deux potages préférez-vous ?   4. Avec qui êtes-vous allé au restaurant ?   5. Dans quel restaurant avez-vous mangé ?   6. Lequel de ces restaurants est le meilleur ?   7. Qui a pris ma serviette ?   8. Quelle serviette est à vous ?   9. Quel hors-d'œuvre avez-vous commandé ?   10. Que (*ou* Lequel) préférez-vous ?

V. 1. Dans quel restaurant ont-ils mangé ? 2. Qu'avez-vous commandé ? 3. Qui leur a apporté le menu ? 4. Qu'est-ce qu'un menu ? 5. De quoi parlez-vous ? 6. A qui sont ces pommes de terre ? 7. Qu'est-ce qu'il y a ? 8. Laquelle de ces serviettes est à vous ? 9. Qu'est-ce qui est tombé ? 10. Avec quoi fait-on une soupe ? 11. Qu'est-ce que c'est que ça ? 12. A qui a-t-il donné un pourboire ? 13. A qui est ce poulet ? 14. Qu'est-ce que vous préférez, des sardines ou des radis ? 15. Qu'est-ce que vous boirez ? 16. Je ne bois que de l'eau. 17. Qui a payé le dîner ? 18. A qui demanderai-je l'addition ?

LEÇON XXXII (p. 198)

II. 1. J'achetais. 2. Je nettoyais. 3. J'espérais. 4. Je bougeais. 5. Je me levais. 6. Je m'habillais. 7. J'applaudissais. 8. Je sortais. 9. Je partais. 10. Je punissais. 11. Je venais. 12. Je descendais. 13. Je comprenais. 14. J'apprenais. 15. J'attendais. 16. J'écrivais. 17. Je lisais. 18. Je connaissais. 19. Je croyais. 20. Je buvais. 21. Je voyais. 22. Je savais. 23. J'avais. 24. J'étais. 25. Je commençais. 26. Je mangeais.

III. 1. Quand j'étais à la campagne, je faisais une promenade dans les champs. 2. Je savais les noms de tous les arbres et de toutes les fleurs. 3. Tous les voisins me connaissaient. 4. Je jouais souvent avec les bergers du voisinage. 5. Nous buvions de l'eau à la fontaine. 6. Une bergère qui s'appelait Jeanne voyait souvent des fées. 7. Les fées étaient très jolies. 8. Elles dansaient autour d'un chêne. 9. Jeanne leur parlait souvent.

IV. 1. Je connais votre frère. 2. Il ne me connaît pas. 3. Je sais où il demeure. 4. Est-ce qu'il vous connaît ? 5. Est-ce que vous connaissez Paris ? 6. Nous savons que Paris est une belle ville. 7. Mes parents con-

naissent la France. 8. Ils connaissent tous les pays.
9. Ils savent plusieurs langues. 10. Moi, je ne sais rien.

V. 1. Lorsque j'étais jeune, je vivais à la campagne.
2. Mes parents avaient une belle ferme. 3. Il y avait beaucoup de champs avec des arbres et des fleurs. 4. Nous
avions aussi beaucoup d'animaux. 5. J'avais un chien
qui gardait les moutons. 6. J'aidais mon père et ma mère.
7. Les bergers et moi, nous jouions ensemble. 8. Nous
dansions autour d'un vieux chêne. 9. Tous les garçons
m'obéissaient. 10. Je connaissais toutes les fleurs des
champs. 11. Je voyais des fées près d'une fontaine.
12. Elles étaient très belles. 13. Quelquefois j'allais chercher de l'eau pour les hommes qui étaient aux champs.
14. Je détestais l'école alors. 15. Mais j'aimais l'histoire
de Jeanne d'Arc que ma mère me racontait.

LEÇON XXXIII (p. 202)

I. 1. J'allais dans les champs. 2. Il y avait des fleurs
sur les arbres. 3. Les oiseaux chantaient. 4. C'était le
printemps. 5. Les bergers m'appelaient. 6. Nous man-
gions des fruits. 7. Les bergères filaient la laine. 8. Elles
étaient ignorantes. 9. Elles ne savaient pas lire. 10. Je
leur lisais une histoire. 11. Tout le monde m'écoutait.
12. Quel âge aviez-vous ? 13. J'avais quinze ans.
14. Nous voyions souvent une grande lumière. 15. Je
n'avais pas peur.

II. Un jour Jeanne est seule dans les champs. C'est
le printemps. Le ciel est bleu. Les oiseaux chantent.
Les arbres sont en fleurs.

Jeanne pense aux malheurs de la France, et elle prie
pour son pays. Pendant qu'elle prie, elle voit tout à coup
une grande lumière.

Puis elle entend une voix qui l'appelle par son nom.

La voix lui dit : " Jeanne, Jeanne, allez sauver la France."
Jeanne a peur, parce qu'elle ne comprend pas ces paroles
mystérieuses.   Elle est bien triste, et elle rentre à la maison.

III.   1. J'étais seül dans ma chambre.   2. Tout à coup
j'ai entendu une voix.   3. Mon ami m'appelait.   4. Je
suis descendu dans le jardin.   5. Pierre et Jean m'at-
tendaient.   6. Nous avons fait une promenade.   7. Le ciel
était bleu.   8. Il y avait des fleurs dans les champs.
9. Les oiseaux chantaient.   10. Nous avons rencontré une
bergère.   11. Nous lui avons parlé.   12. Elle était très
jolie.   13. Elle avait un grand chien.   14. Nous avions
peur du chien.   15. Nous sommes rentrés à la maison.

V.   1. Pourquoi Jeanne avait-elle peur ?   2. Pourquoi
était-elle si triste ?   3. Il y avait des fleurs dans les champs.
4. Le printemps était magnifique.   5. Qu'a-t-elle entendu
tout à coup ?   6. Est-ce que sa mère l'a appelée ?   7. Elle
est rentrée à la maison.   8. Sa mère n'était pas à la maison.
9. Elle pleurait.   10. Qui est-ce qui lui parlait ?   11. Les
paroles étaient mystérieuses.   12. Elle ne les comprenait
pas.   13. Ses parents étaient aussi ignorants qu'elle.
14. Ils n'avaient pas appris à lire.   15. Ils ne savaient pas
écrire leur nom.   16. Jeanne priait quand elle a entendu la
voix.

LEÇON XXXIV (p. 207)

I.   1. Voici une histoire qui est intéressante.   2. Les
histoires que j'ai lues sont absurdes.   3. Qui sont ces
hommes dont vous parliez ?   4. Qui sont ces soldats à
qui vous parliez ?   5. Il a fait le voyage dont nous parlions.
6. Je connais le roi dont vous m'avez parlé.   7. Connaissez-
vous la dame chez qui je demeure ?   8. Qui est le jeune
homme qu'elle a épousé ?   9. Quelle est cette forêt que
nous traversons ?   10. Où sont les compagnons avec
qui elle va combattre ?   11. Où est l'armée qu'elle com-

mandera ?   12. Je ne connais pas la ville où vous demeurez.
13. Vous ne savez pas ce qui est bon pour vous.   14. Vous
ne comprenez pas ce que je dis.   15. Je ne sais pas ce que
vous voulez.   16. Voici la rue où je demeure.   17. Voilà la
maison dont je vous ai montré la photographie.   18. Connaissez-vous ce jeune homme dont les parents sont si
riches ?   19. Quel est ce pays que nous traversons ?
20. Connaissez-vous le pays où il est né ?

II.   1. Écoutez ce que je vous dis.   2. Je sais ce qui lui
fera plaisir.   3. Je ne comprends pas ce qu'il veut dire.
4. Vous ne faites pas ce qui vous a été ordonné.   5. Voilà
la jeune fille dont je vous parlais.   6. Aimez-vous cette
plume avec laquelle j'écris ?   7. Qui est ce monsieur dont
tout le monde parle ?   8. Pouvez-vous me dire chez qui
je peux trouver cela ?   9. Donnez-moi le livre dans lequel
il y a de si belles images.   10. Montrez-moi la maison où
vous êtes né.

III.   1. Voilà une fleur que j'ai prise dans le jardin.
2. Mangez les fruits que j'ai mis sur la table.   3. Je n'aime
pas les histoires que vous m'avez lues.   4. Je vous dis
les choses que j'ai entendues.   5. L'eau que j'ai bue est
bonne.   6. Qui est cette femme que nous avons vue ?
7. Ce sont des amis que vous avez connus.   8. Où sont
les lettres que vous avez écrites ?   9. Je ne crois pas les
choses qu'il a dites.   10. Parlez-moi de la promenade que
vous avez faite.

V.   1. Je ne comprends pas ce que vous dites.   2. Pourquoi voulez-vous voir le roi ?   3. Vous ne pouvez pas commander une armée.   4. Vous ferez ce que votre père vous
ordonne.   5. Qui est ce jeune homme dont vous parliez ?
6. Est-ce le jeune homme dont je connais le père ?   7. C'est
celui que j'ai rencontré la semaine dernière.   8. Savez-
vous chez qui il demeure ?   9. Je connais la rue dans
laquelle demeuraient ses parents.   10. Pourquoi ne veut-il
pas se marier ?   11. Il veut partir à l'armée (s'engager).

12. Il aime ce qui est dangereux. 13. Il m'a écrit une lettre où il dit qu'il partira demain. 14. Ce qu'il fait est absurde. 15. Il ne sait pas ce qu'il fait. 16. Sa mère, que je connais, ne sera pas contente. 17. J'ai connu une mère dont le fils l'avait quittée. 18. Elle pleurait souvent parce que son fils était loin d'elle.

LEÇON XXXV (p. 212)

I. 1. On dit qu'il est malade. 2. On m'a dit que son père est arrivé. 3. Il a reçu la lettre qu'on lui a envoyée. 4. On croit que je suis très riche. 5. Je suis très pauvre, mais on ne le sait pas. 6. Va-t-on au cinéma ou chez Albert ? 7. On ne vous a pas vu(s) au théâtre hier soir. 8. Vous a-t-on dit que Paul va se marier ? 9. On nous a dit qu'il allait en France. 10. Sait-on quand il partira ?

II. 1. Je ne vois personne. 2. Vous ne connaissez personne. 3. Il ne parle à personne. 4. Nous ne demandons d'argent à personne. 5. N'écoutez personne. 6. N'en parlons à personne. 7. Je n'aperçois personne. 8. Je n'entends personne. 9. Est-ce que vous ne voyez rien ? 10. Il n'y a rien. 11. Ils ne savent rien. 12. Vous n'entendez rien. 13. Ils n'achètent rien. 14. Elle ne comprend rien. 15. Ne prenez rien. 16. Ne dites rien. 17. N'achetez rien. 18. Il ne vient jamais chez moi. 19. Je ne vais jamais chez lui. 20. Il ne m'écoute jamais. 21. Je ne lui parle jamais. 22. Nous ne les voyons jamais. 23. Nous ne leur en donnons jamais. 24. Ils n'y vont jamais. 25. Ne le faites jamais. 26. N'y allez jamais. 27. N'en prenez jamais. 28. Ne le lui dites jamais.

III. 1. Personne ne vient. 2. Personne n'écoute. 3. Rien n'est facile. 4. Rien n'est bon marché. 5. Personne n'est parti. 6. Personne n'est arrivé. 7. Rien n'est fait.   8. Rien n'est écrit.   9. Personne ne sait.   10. Personne n'est malade.   11. Rien n'est correct.   12. Personne ne comprend.

IV.   1. Ils n'ont pas d'amis.   2. Je n'ai point d'argent.
3. Il ne vient plus chez moi.   4. Elle n'a que seize ans.
5. Nous n'avons ni foi ni courage.   6. Elle n'aime ni la cour ni les courtisans.   7. Elle ne porte ni chapeau ni gants.
8. Nous n'aimons ni les fruits ni les légumes.   9. Il n'a ni papier ni enveloppes.   10. Je n'ai reçu ni votre lettre ni votre cadeau.

V.   1. Personne.   2. Rien.   3. Personne.   4. Jamais.
5. Pas encore.   6. Pas encore.   7. Avec personne.   8. A personne.   9. A rien.   10. Pas encore.

VII.   1. Elle ne connaît personne et personne ne la connaît.   2. Elle n'a rien ; ce n'est qu'une pauvre paysanne.
3. Elle n'est jamais entrée dans un palais.   4. Comment reconnaîtra-t-elle le roi ?   5. L'apercevra-t-elle parmi les courtisans ?   6. Il n'avait ni foi ni courage.   7. Il se cachait parmi les gens de sa cour.   8. Si elle se trompe, il ne la recevra plus.   9. On lui a dit que le roi est assis sur son trône.   10. On croit qu'elle ne le reconnaîtra pas.
11. On se trompe.   12. Elle est allée droit vers lui, pas vers un autre.

SEPTIÈME RÉVISION (p. 214)

I   1. Qui est entré dans un restaurant ?   2. A qui a-t-il parlé ?   3. Que lui a-t-il demandé ?   4. Qu'y a-t-il sur la table ?   5. Quand mange-t-on les hors-d'œuvre ?
6. Qu'est-ce que son père a commandé ?   7. Qu'est-ce que le potage ?   8. Avec quoi est faite la soupe ?   9. Avec quoi mange-t-on la soupe ?   10. Qu'est-ce que vous boirez ?
11. Qu'est-ce qui est tombé ?   12. Qu'a-t-il donné (Qu'est-ce qu'il a donné) au garçon ?

II.   1. J'étais à la campagne.   2. Mon village s'appelait

Domrémy. 3. Mes parents avaient une ferme. 4. Mes frères aidaient mon père. 5. Ma sœur balayait la maison. 6. Je jouais avec les bergers. 7. Ils gardaient leurs moutons. 8. Il y avait des fées près de la fontaine. 9. Nous les voyions souvent. 10. La fontaine était dans un champ. 11. Nous y buvions de l'eau. 12. Les bergers dansaient avec les bergères. 13. Tout le monde détestait les ennemis. 14. J'allais souvent à l'église. 15. Nous priions pour la France.

III. 1. Nous avions des moutons. 2. Les bergers dansaient autour du chêne. 3. Je connaissais tous les bergers du voisinage. 4. Ils savaient aussi mon nom. 5. Toutes les fermes étaient jolies. 6. Mon chien m'aimait bien. 7. Je ne le punissais jamais. 8. Il m'obéissait toujours. 9. Il comprenait tout. 10. Nous sortions ensemble. 11. Il m'attendait sous le chêne. 12. Il venait quand je l'appelais.

IV. 1. Hier je suis allé à la campagne. 2. La campagne était belle. 3. Il y avait des fleurs dans les champs. 4. J'ai vu beaucoup d'oiseaux. 5. Ils chantaient dans les arbres. 6. J'ai rencontré un berger. 7. Il ne me connaissait pas. 8. Je lui ai parlé. 9. Il était ignorant. 10. Il ne savait pas lire. 11. Il avait quinze ans. 12. Il ne comprenait pas mes paroles. 13. J'avais peur de son chien. 14. Je suis rentré à la maison. 15. Ma mère faisait le ménage. 16. Je lui ai demandé du pain. 17. Elle m'en a donné. 18. Je me suis couché de bonne heure.

V. 1. J'avais appris à lire. 2. Nous avions entendu des voix. 3. Qui avait vu une grande lumière ? 4. Les capitaines n'avaient pas chassé les ennemis. 5. Ils avaient eu peur. 6. Tout le monde s'était demandé. 7. Qui avait sauvé la France ? 8. Jeanne avait prié pour la France. 9. Elle avait entendu des voix. 10. Aviez-vous compris ces paroles ? 11. Je n'étais jamais sorti de mon village. 12. Mes parents avaient été à la campagne.

VI.   1. Elle veut quitter ses parents qu'elle aime tant.
2. Elle a parlé à son père qui l'aime aussi.   3. Son père lui
parle d'un jeune homme qu'elle connaît.   4. Le jeune
homme dont il parle demeure dans ce village.   5. Le
village où il demeure s'appelle Domrémy.   6. Jeanne
n'écoute pas ce que son père lui dit.   7. Elle fera ce qui
est bon pour son pays.   8. Elle veut voir le roi qui lui
donnera une armée.   9. Elle commandera l'armée avec
laquelle elle sauvera la France.   10. Elle partira avec des
compagnons dont le courage est grand.   11. Elle traver-
sera un pays dont elle ne connaît pas les chemins.   12. Elle
sauvera la France, pour qui elle prie.   13. Elle n'épousera
pas le jeune homme dont la famille est riche.   14. Elle ne
fera pas ce que son père lui demande.

VII.   1. Il ne connaît personne.   2. Je n'écoute personne.   3. Nous ne parlons à personne.   4. Le roi ne
reçoit personne.   5. Ne reconnaissez-vous personne ?
6. Vous ne savez rien.   7. Ils ne comprennent rien.
8. N'entendez-vous rien ?   9. Ne disons rien.   10. Il n'y a
rien ?   11. Il ne me voit jamais.   12. Je ne lui parle
jamais.   13. Vous n'y allez jamais.   14. Je ne me trompe
jamais.   15. Ne nous cachons jamais.

VIII.   1. On lui a dit que j'étais malade.   2. On ne
sait pas quand il arrivera.   3. On croit qu'il est riche.
4. Est-ce qu'on peut vous demander cela ?   5. On m'a
demandé pourquoi je n'étais pas venu.   6. Est-ce qu'on
va au théâtre ce soir ?   7. Comment dit-on cela en français ?
8. Comment prononce-t-on ce mot en Amérique ?   9. On
se trompe quand on le croit riche.   10. On m'a donné un
beau petit chien blanc.

IX.   1. Ils n'ont pas de courage.   2. Nous n'avons pas
de connaissances.   3. N'avez-vous pas d'amis ?   4. Je ne
vous reconnais plus.   5. Nous ne les apercevons plus.
6. Nous ne voulons plus vous voir.   7. Elle n'aperçoit
qu'un courtisan.   8. Elle ne salue que le roi.   9. Le roi

n'a ni palais ni trône.   10. Les courtisans n'ont ni foi ni courage.

X.   *B.*   1. Je ne buvais, je n'ai bu, je ne boirai que de l'eau.   2. Je ne connaissais, je n'ai connu, je ne connaîtrai personne.   3. Est-ce que je savais, j'ai su, je saurai, moi !   4. Est-ce que je voulais, j'ai voulu, je voudrai voir le roi ?   5. Je ne pouvais pas, je n'ai pas pu, je ne pourrai pas le voir.   6. Je ne recevais rien, je n'ai rien reçu, je ne recevrai rien.   7. Je n'aperçois rien, je n'ai rien aperçu, je n'apercevrai rien.

XI.   1. Il y avait une fois une petite fille qui s'appelait Jeanne.   2. Elle avait entendu parler des malheurs de son pays.   3. Elle n'avait pas peur des fées.   4. Tous les matins elle faisait le ménage avec sa mère.   5. Comme elle entendait des voix, elle se demandait qui lui parlait.   6. Tout le monde était malheureux.   7. Les arbres étaient en fleurs dans la campagne.   8. Tout à coup elle vit une grande lumière.   9. Les courtisans étaient debout autour du roi.   10. Pendant que Jeanne priait elle entendait des voix.

XII.   1. Voulez-vous des pommes de terre frites?   2. Donnez-nous deux poulets rôtis.   3. Ces bergères sont ignorantes.   4. Ces bergers sont ignorants.   5. J'ai entendu des paroles mystérieuses.   6. Ses compagnons sont mystérieux.   7. La forêt est dangereuse.   8. Ce voyage n'est pas dangereux.   9. Ces paroles sont absurdes.   10. Ces courtisans sont absurdes.

XIII.   1. De quoi parliez-vous ?   2. A qui sont ces champs ?   3. Qu'est-ce que faisaient les bergers ?   4. Qui est-ce qui balayait (*ou* a balayé) la maison ?   5. Qui connaissez-vous dans cette ville ?   6. Où est le chêne autour duquel nous dansions ?   7. Pouvez-vous montrer la fontaine près de laquelle nous jouions ?   8. Il y avait une fois des fées dans cette forêt.   9. Nous les voyions quand nous gardions nos moutons.   10. Un jour nous avons vu une lumière mystérieuse.   11. Tout à coup nous

avons entendu des voix et nous avons eu peur.   12. Une
grande armée venait vers le village.   13. Tout le monde
voulait voir les soldats.   14. Un soldat, dont je connaissais
le père, nous a parlé.   15. Je n'ai pas pu comprendre
ce qu'il disait.   16. Personne ne savait ce qu'il voulait.
17. Je me suis caché parmi mes compagnons.   18. Personne
n'a reconnu le roi qui était assis.   19. Il n'avait ni courtisans
ni capitaines autour de lui.   20. On dit qu'il avait chassé
l'ennemi du pays.   21. Cependant nous ne savons rien.
22. Nous n'avons appris ni à lire ni à écrire.   23. Vous vous
trompez.   Cet homme n'est qu'un courtisan.   24. Comment avez-vous pu le reconnaître ?   25. On m'a dit que
le roi lui avait donné ses habits.

LEÇON XXXVI (p. 227)

II.   1. Catherine veut que nous allions à la campagne.
2. Elle veut que j'admire les fleurs.   3. Je regrette que sa
mère soit malade.   4. Il faut que je lui écrive.   5. Il faut
qu'elle ait des fleurs.   6. Bien que les fleurs soient chères,
j'en achèterai.   7. Il faut que nous lui apportions aussi des
œufs frais.   8. Il faut qu'elle mange bien.   9. Je suis content que nous ayons des poules.   10. Je regrette que mon
père ait vendu la vache.

IV.   1. Je regrette qu'elle ne soit pas venue.   2. Il faut
que je parte tout de suite.   3. Je suis content que vous
l'ayez rencontré(e).   4. Catherine veut que vous preniez
ces fleurs.   5. Sa mère désire que vous lui parliez demain.
6. Il faut que vous lui portiez un gâteau.

VI.   1. Il faut que vous me parliez de la ferme où vous
demeurez.   2. Mes parents désirent que j'aille à la campagne.   3. Voulez-vous que ma sœur vienne aussi ?   4. Je
regrette que les arbres ne soient pas en fleurs.   5. Est-ce
que votre mère fait une promenade avec vous ?   6. Est-ce

qu'elle dort mieux à la campagne ? 7. Il faut qu'elle boive du lait. 8. Il faut qu'elle ait des œufs frais et des légumes frais. 9. Est-ce qu'il y a des vaches et des poules à la ferme ? 10. N'avez-vous pas reçu de lettre de moi cette semaine ? 11. Il faut que je réponde à vos lettres aussitôt que possible. 12. Écrivez-nous afin que nous sachions où vous êtes.

LEÇON XXXVII (p. 232)

II. 1. J'ai dit au roi que je chasserais l'ennemi du royaume. J'irais d'abord à Orléans et je délivrerais cette ville. Puis j'irais à Reims.

2. Vous avez dit au roi que vous chasseriez l'ennemi du royaume. Vous iriez d'abord à Orléans, et vous délivreriez cette ville. Puis vous iriez à Reims.

III. 1. Je dirai au roi que je chasserai l'ennemi du royaume. J'irai d'abord à Orléans, et je délivrerai cette ville. Puis j'irai à Reims.

2. Vous direz au roi que vous chasserez l'ennemi du royaume. Vous irez d'abord à Orléans, et vous délivrerez cette ville. Puis vous irez à Reims.

IV. 1. Je lui ai dit que j'irais chez lui. 2. Il m'a répondu qu'il ne serait pas à la maison. 3. Ses parents seraient à la maison. 4. Il y aurait aussi d'autres personnes. 5. On ferait de la musique. 6. Tout le monde danserait. 7. Nous nous amuserions beaucoup. 8. Nous aurions des glaces et des gâteaux. 9. Les hommes boiraient du café. 10. Les femmes auraient du thé. 11. Jeanne viendrait aussi plus tard. 12. Nous la verrions au salon. 13. Elle aurait préféré venir avec nous. 14. Est-ce que nous l'attendrions ? 15. Est-ce que je ne serais pas parti ? 16. Nous pourrions faire une promenade ensemble.

V. 1. Qu'est-ce que vous diriez au roi ? 2. Où serait-il ?

3. Les courtisans ne vous connaîtraient pas. 4. Je n'aurais pas peur. 5. J'irais à Orléans. 6. La France serait libre. 7. Est-ce que vous feriez des miracles ? 8. Vous donneriez une lettre au roi. 9. Il la lirait. 10. Les soldats vous obéiraient. 11. Nous irions avec vous. 12. Je partirais demain. 13. Nous sauverions la France. 14. Est-ce que vous hésiteriez ? 15. Dieu serait avec nous.

VII. 1. Le roi a dit à Jeanne qu'il lui donnerait une armée. 2. Que ferait-elle avec cette armée ? 3. Ses soldats prendraient-ils Orléans ? 4. Où iraient-ils de là ? 5. Elle disait qu'elle serait restée au village. 6. Mais il fallait qu'elle fasse ce que Dieu lui disait. 7. Elle irait maintenant à Domrémy. 8. Mais il fallait que les Français aient la paix. 9. Je viendrais à Reims avec elle. 10. Aurait-elle peur ? 11. Mais pourquoi vous habilleriez-vous comme un soldat (*ou* en soldat) ? 12. Elle disait qu'elle ne ferait pas de miracles. 13. Mais elle combattrait avec son épée. 14. Lui donnerait-on la permission de partir ?

LEÇON XXXVIII (p. 237)

I. 1. Nous partirions si nous étions prêts. 2. Ils seraient contents s'ils gagnaient la victoire. 3. Je ferais cela si je pouvais. 4. Si vous travailliez vous réussiriez. 5. S'il se conduisait bien, on ne le punirait pas. 6. Me répondriez-vous si je vous écrivais ? 7. Si j'avais le temps j'irais avec vous au cinéma. 8. Son oncle serait content si Arthur allait en France. 9. Nous irions tous à Paris si nous avions de l'argent. 10. On vous aimerait si vous étiez juste envers tout le monde. 11. S'ils venaient chez nous nous resterions à la maison. 12. Ils pourraient nous voir s'ils voulaient nous parler. 13. Si vous ne vous couchiez pas trop tard vous vous lèveriez de bonne heure,

14. S'il faisait beau temps on pourrait aller à la campagne.
15. S'ils avaient faim ils achèteraient des fruits.

II. 1. Que ferez-vous s'il fait beau temps ? 2. Est-ce qu'il viendra avec nous s'il a le temps ? 3. Si je n'ai pas d'argent je ne pourrai pas aller en France. 4. Si j'ai peur je ne pourrai pas sortir. 5. Il aura peur s'il nous voit. 6. S'il est riche il achètera une belle maison. 7. Si je suis à la campagne j'aurai beaucoup de poules. 8. Si je vends les œufs j'achèterai un petit cochon. 9. S'il y a des fleurs dans le verger il y aura des fruits plus tard. 10. Si le fermier vend son cheval il sera obligé d'en acheter un autre. 11. Si je prends ce cheval, je lui apprendrai à m'obéir. 12. S'il ne m'obéit pas, je ne le conduirai pas.

III. 1. J'irai chez vous si vous êtes à la maison. 2. Viendriez-vous avec moi si j'allais en France ? 3. Si nous avons faim nous irons au restaurant. 4. Si nous avions soif nous boirions du lait. 5. Sortirons-nous si le temps est beau ? 6. Seriez-vous content si je vous emmenais à Paris ? 7. Que feriez-vous si vous aviez beaucoup d'argent ? 8. Que fera-t-il si on ne lui donne rien ? 9. Si je me couche de bonne heure je me lèverai de bonne heure le matin. 10. Si mon père me donnait de l'argent je ferais un voyage en France. 11. Si la discipline n'était pas sévère nous n'aurions pas de si bons élèves.

VI. 1. Si le roi était juste, il mettrait Jeanne à la tête de l'armée. 2. Ensuite elle donnerait des ordres et on lui obéirait. 3. Elle ne partira pas si les soldats ne se conduisent pas bien. 4. Elle les mènera à la victoire s'ils sont braves. 5. Elle leur apprendra à obéir. 6. S'ils étaient braves ils n'auraient pas peur. 7. Ils pourraient chasser l'ennemi s'ils voulaient. 8. Quand les officiers et les soldats seront prêts, elle ira à Orléans. 9. S'ils lui obéissaient, elle ne les punirait pas. 10. Si elle n'avait pas été

juste, ils n'auraient pas eu confiance en elle.   11. Si elle
avait été moins sévère, personne ne lui aurait obéi.   12. Elle
leur a appris à aimer Dieu et leur roi.

LEÇON XXXIX (p. 244)

I.   1. Il ne pleut pas maintenant.   2. Il a plu hier.
3. Est-ce qu'il pleuvra demain ?   4. Il pleuvait quand
vous êtes arrivé.   5. Est-ce qu'il neige à Paris ?   6. L'année
dernière il a beaucoup neigé.   7. Il neigera l'hiver prochain.
8. Il neigeait quand je suis sorti.   9. Il fait froid ce matin.
10. Il a fait chaud hier.   11. Il fera beau demain.   12. Il
fait déjà du soleil.

II.   1. Il me faut, il te faut, il lui faut, il nous faut, il
vous faut, il leur faut, un cheval.   Etc.

III.   1. Je l'ai rencontré il y a huit jours.   2. Je vous ai
vu il y a longtemps.   3. S'il faisait beau je sortirais.
4. S'il fait beau temps nous ferons une promenade.   5. S'il
faisait mauvais temps, nous resterions à la maison.

V.   1. Il y a quelques années Jeanne vivait dans un
village.   2. Il y a six mois elle était habillée comme une
paysanne.   3. Maintenant elle a un cheval et une épée.
4. Il lui faut commander des soldats grossiers.   5. Il faut
une bonne discipline dans l'armée.   6. On aura besoin
d'hommes braves.   7. Il faut que les soldats montent à
cheval par tous les temps, quand il pleut et quand il neige.
8. Il leur faut être dehors quand il fait froid ou quand il
fait chaud.   9. Il ne faut pas être timide.   10. Il vaut
mieux être fort.   11. Quand il fera beau, l'armée attaquera
Orléans.   12. Pourquoi les soldats ennemis se moquaient-
ils de Jeanne ?   13. Elle mènera ses soldats à la victoire.
14. Après une bataille très dure, la ville était à elle.

LEÇON XL (p. 248)

I.   1. La victoire a été gagnée par Jeanne.   2. La ville a été délivrée par elle.   3. La ville était occupée par l'ennemi.   4. Les portes ont été ouvertes.   5. Jeanne d'Arc était aimée du peuple.   6. Les mauvais soldats étaient punis par le peuple.   7. Le roi était accompagné de toute l'armée.   8. La cérémonie a été faite par le clergé.   9. L'anniversaire de Jeanne d'Arc se célèbre en France.   10. Sa statue se voit devant la cathédrale.   11. La cathédrale s'aperçoit de loin.   12. Beaucoup de rois y ont été couronnés.

II.   1. Suzanne a fait ces robes.   2. J'ai ouvert la porte.   3. Tout le monde connaissait cette personne.   4. Ma grand'mère m'a raconté cette histoire.   5. Son oncle lui a donné ces cadeaux.   6. On a vendu la ferme.   7. On a mangé toutes les pommes.   8. On a mis les fleurs sur la table.   9. On attend vos amis.   10. Le facteur nous apporte les lettres.

III.   1. L'école s'ouvre aujourd'hui.   2. Le travail se fera demain.   3. Le café se prend le matin.   4. Ces fleurs s'appellent des violettes.   5. Cela ne se dit pas en français.   6. Leurs noms s'écrivent comme ceci.   7. Nos maisons se voient d'ici.   8. Ce que vous dites s'entend dans toute la maison.   9. Les œufs se vendaient cher l'année dernière.

V.   1. Jeanne était remplie de joie.   2. Toutes les villes furent prises par son armée.   3. Les victoires sont gagnées par les meilleurs soldats.   4. Elle entra dans l'église, suivie de quelques amis.   5. On y voyait beaucoup de statues.   6. C'est la plus grande cathédrale du pays.   7. Tous les rois y sont couronnés.   8. L'église était couverte de fleurs.   9. Dès que les portes se sont ouvertes la cérémonie a commencé.   10. Jeanne était debout près des nobles.   11. Toute l'église était occupée par le peuple et les soldats.

HUITIÈME RÉVISION (p. 250)

I. 1. Il faut que vous buviez du lait. 2. Je regrette que vous soyez malade. 3. Voulez-vous que ma mère vienne ici ? 4. Elle veut que je vous écrive souvent. 5. Voulez-vous que je vous achète des fleurs ? 6. Je suis content que nous ayons des poules. 7. Il faut que ma mère ait des œufs frais. 8. Maintenant il faut que j'aille à la maison.

IV. 1. Qui chasserait l'ennemi ? 2. Nous irions à Orléans. 3. On couronnerait le roi. 4. Nous aurions enfin la paix. 5. Jeanne serait heureuse. 6. La France serait libre. 7. Je préférerais rester dans mon village. 8. Tout le monde ferait son devoir. 9. Les soldats n'auraient pas peur. 10. Elle s'habillerait comme un soldat. 11. Porterait-elle des vêtements d'homme ? 12. Dieu ferait des miracles. 13. Verriez-vous la cathédrale ? 14. Qui irait avec vous ? 15. Ils viendraient avec nous.

V. 1. Nous serions allés à Orléans. 2. Jeanne aurait délivré la ville. 3. Les ennemis auraient occupé tout le royaume. 4. Les Français n'auraient pas été libres. 5. Jeanne n'aurait pas eu peur. 6. Les Français auraient fait leur devoir. 7. Ils seraient partis avec elle. 8. Le roi aurait été couronné à Reims. 9. Je n'aurais pas vu le roi. 10. Est-ce que vous seriez resté chez vous ?

VII. 1. Les soldats lui obéiraient si elle était sévère. 2. Vous ne serez pas brave si vous n'êtes pas bon. 3. Je vous punirai si vous vous conduisez mal. 4. Nous irons avec vous si vous voulez. 5. Les soldats devront obéir s'ils veulent gagner la victoire. 6. La victoire sera impossible s'ils n'ont pas de discipline. 7. Si nous partons maintenant nous n'aurons pas de succès. 8. Si je vous donne des ordres vous dev(r)ez obéir. 9. Si le roi me donne une armée je pourrai commander. 10. Les soldats m'obéiront s'ils ont confiance en moi.   11. Si je ne suis pas juste ils ne voudront pas m'obéir.

VIII.   1. Je ferai cela si je peux.   2. Faites cela si vous voulez.   3. Est-ce qu'il viendrait s'il pouvait ?   4. Nous parlerions français si nous pouvions.   5. S'ils étaient prêts ils pourraient partir.   6. Si nous avions la permission, nous pourrions sortir.   7. Je voudrais aller en France si je pouvais.   8. Si je peux j'irai chez vous.   9. Venez chez moi si vous voulez.   10. S'il fait beau temps ils pourront faire une promenade.   11. Je voudrais vous parler si vous aviez le temps.   12. Nous voudrions vous aider si nous pouvions.

IX.   1. Quel temps fait-il aujourd'hui ?   2. Fait-il beau aujourd'hui ?   3. Il fera chaud demain.   4. Il a fait froid la semaine dernière.   5. Il fait du soleil maintenant. 6. Est-ce qu'il fait du vent ?   7. Est-ce qu'il pleuvra demain ?   8. Il a plu hier soir.   9. Il ne pleut pas maintenant.   10. Il pleuvait quand je me suis levé.   11. Est-ce qu'il neige beaucoup à Paris ?   12. Il a neigé un peu l'hiver dernier.   13. Il ne neigera pas demain.

X.   1. Il vaut mieux le lui dire tout de suite.   2. Il y a longtemps que je ne vous ai vu.   3. N'importe, s'il pleut je prendrai un parapluie.   4. Il reste encore un peu de neige dans les champs.   5. Il s'agit de questions très importantes.   6. Il est arrivé hier soir par le dernier train. 7. Il faut que j'aille à Paris cette semaine.   8. Il a fallu des millions pour construire cette école.   9. Il faudra que je le lui dise lorsqu'il viendra.   10. N'achetez pas n'importe quoi.

XI.   1. La ville d'Orléans a été délivrée par Jeanne. 2. Les portes ont été ouvertes par les habitants.   3. Jeanne était aimée des soldats.   4. Le roi était accompagné des nobles et du clergé.   5. La victoire a été gagnée par les Français. 6. Une grande cérémonie a été célébrée.   7. Une grande partie de la France était encore occupée par l'ennemi,

8. L'ennemi sera partout attaqué par Jeanne. 9. Les rues étaient couvertes de beaucoup de fleurs. 10. La rue était remplie de soldats.

XII. 1. Les portes de l'église s'ouvrent. 2. La cérémonie se fera bientôt. 3. Les cris du peuple s'entendent d'ici. 4. Les rues se remplissent de monde. 5. La cathédrale s'aperçoit d'ici. 6. Les rues se couvrent de fleurs. 7. Les portes de la ville se ferment. 8. La joie du peuple se comprend facilement.

XIII. 1. Si vous vous conduisez bien vous serez récompensé. 2. Ne vous moquez pas des gens malheureux. 3. Je voudrais apprendre à conduire une automobile. 4. Mes parents m'ont donné la permission de ne rentrer qu'à dix heures. 5. Je me mettrai en route demain matin de bonne heure. 6. Cet enfant est encore trop jeune pour se tenir debout. 7. Dès qu'il fera jour nous monterons à cheval. 8. Je suis obligé de rentrer chez moi. 9. Mon cousin est venu accompagné de sa jeune femme. 10. En hiver les montagnes sont couvertes de neige. 11. Le dimanche les rues de la ville sont remplies de monde. 12. Le professeur est entré suivi de tous ses élèves.

XIV. 1. L'eau est fraîche. 2. Ces légumes sont frais. 3. Cet œuf n'est pas frais. 4. Donnez-moi du lait frais. 5. Voulez-vous de l'eau chaude ? 6. Est-ce que l'armée est prête ? 7. Ces soldats sont grossiers. 8. La discipline est dure. 9. Nos maîtres sont sévères. 10. Nous sommes fiers de votre succès. 11. La France est fière de Jeanne d'Arc. 12. Nous partirons quand nous serons prêts.

XV. 1. Auriez-vous peur dans une bataille ? 2. Je ferais mon devoir. 3. Les soldats seraient braves. 4. J'aurais une bonne épée. 5. Vos parents vous donneraient-ils la permission de partir ? 6. Nous voudrions bien aller avec vous. 7. Si vous étiez libre, vous pourriez venir avec moi. 8. Si les officiers n'étaient pas sévères, les soldats ne leur obéiraient pas. 9. Si quelqu'un volait,

il serait sévèrement puni.   10. Si l'armée est prête elle ira
à Orléans.   11. Quand tout sera prêt on prendra la ville.
12. Le roi pourra aller à Reims s'il le désire.   13. Jeanne
voudrait bien l'y mener.   14. Il y a quelques mois il faisait
beau.   15. Maintenant il pleut, il neige et il fait froid.
16. Mais n'importe.   Mieux vaut tard que jamais.   17. Il
faudra attaquer l'ennemi.   18. Il ne faut pas être timide.
19. Il lui faudra un bon cheval et de braves soldats.
20. On ouvrira les portes de la ville.

LEÇON XLI (p. 263)

I.   1. Dix heures, dix heures cinq, dix heures dix, dix
heures et quart, dix heures vingt, dix heures vingt-cinq,
dix heures et demie, onze heures moins vingt-cinq (dix
heures trente-cinq), onze heures moins vingt, onze heures
moins le quart, onze heures moins dix, onze heures moins
cinq, onze heures, onze heures cinq, onze heures dix, onze
heures et quart, onze heures vingt, onze heures vingt-cinq,
onze heures et demie, midi moins vingt-cinq (onze heures
trente-cinq), midi moins vingt, midi moins le quart, midi
moins dix, midi moins cinq, midi.

V.   1. Nous mangeons quand nous avons faim.
2. Qu'est-ce que vous buvez quand vous avez soif ?   3. Si
nos parents nous punissent, ils auront raison.   4. Si nous
ne leur obéissons pas, nous aurons tort.   5. Il a l'air
d'avoir sommeil.   6. Est-ce qu'ils ont besoin de vous ?
7. Avez-vous mal à la tête ?   8. Je n'ai pas mal à la gorge.
9. Si j'avais sommeil j'irais me coucher.   10. Si j'avais
soif je boirais un verre de café.

VI.   Je me suis levé à sept heures et demie.   Je me suis
habillé en une demi-heure.   J'ai déjeuné à huit heures,
puis à neuf heures moins le quart je suis descendu en ville
avec ma mère.   Comme nous avons pris le tramway,

nous sommes arrivés en vingt minutes aux grands
magasins.   J'avais besoin d'un complet neuf.   J'en
voulais un fait sur mesure par un tailleur, mais ma mère
m'a dit que les vêtements tout faits étaient assez bons
pour moi.

VIII. 1. Si je me levais à six heures ou à six heures
et demie, j'aurais sommeil toute la journée. 2. Si nous
avons besoin d'un complet neuf, nous l'achèterons à ce
magasin. 3. Nous descendrons en ville à dix heures et
quart. 4. Si je me sentais mieux, je vous verrais à une
heure moins vingt. 5. Les vêtements tout faits ne sem-
blent pas assez bons pour eux. 6. Il vous faudra une
demi-heure pour venir ici si vous prenez le tramway. 7. A
midi nous mangerons à un restaurant si nous avons
faim. 8. Sommes-nous en retard? Votre montre n'avance-
t-elle pas de dix minutes? 9. Vous avez tort. Elle
retarde de quelques minutes. 10. J'aime votre cravate
neuve. Elle vous va très bien. 11. Vous savez que je
ne mens jamais, et j'ai toujours raison. 12. Pourquoi
choisissez-vous des vêtements qui sont trop grands ou
trop petits ? 13. Si vous portiez un complet fait sur
mesure, il vous irait mieux.

LEÇON XLII (p. 269)

IV. 2. Wellington est né en mil sept cent soixante-
neuf. 3. Milton est né en seize cent huit. 4. Christophe
Colomb a découvert l'Amérique en mil quatre cent quatre-
vingt-douze. 5. La fête nationale de la France est le
quatorze juillet. 6. La ville d'Orléans a été prise le huit
mai quatorze cent vingt-neuf. 8. Quand Jeanne d'Arc a
pris Orléans elle n'avait que dix-sept ans. 9. L'année
commence le premier janvier. 10. Elle finit le trente et
un décembre. 11. Il y a trois cent soixante-cinq jours

dans une année.   12. Il y a trente ou trente et un jours
dans un mois.

V.   1. Napoléon trois.   2. Henri quatre.   3. François
premier.   4. Le premier janvier.   5. Le deux février.
6. Napoléon premier.   7. Louis quinze.   8. Le vingt et un
mars.   9. La première année.   10. La deuxième journée.
11. Le premier juillet.   12. Le trente et un décembre.
13. La trente et unième leçon.   14. La cinquantième
leçon.   15. La soixante et unième leçon.

VI.   1. Je suis né le premier mars mil huit cent quatre-
vingt-onze.   2. Napoléon premier a remporté des dou-
zaines de victoires.   3. Charles sept a exempté d'impôts
le village de Domrémy.   4. Si Jeanne lui avait demandé
un million de francs, il les lui aurait donnés.   5. Depuis
le quinzième siècle jusqu'à nos jours, Jeanne d'Arc a été
aimée de tous les Français.   6. Sa statue peut se voir
dans une vingtaine de villes.   7. Il y a quelques années
j'en ai vu une à Paris.   8. Elle brille au soleil, et on la
regarde plutôt que les autres statues.   9. Le huit mai est
une fête nationale en France.   10. La prise de la Bastille
se célèbre le quatorze juillet.   11. La grande guerre a eu
lieu au vingtième siècle.

LEÇON XLIII (p. 274)

I.   1. Allant.   Étant allé.   2. Achetant.   Ayant acheté.
3. Commençant.   Ayant commencé.   4. Changeant.   Ayant
changé.   5. Remplissant.   Ayant rempli.   6. Ouvrant.
Ayant ouvert.   7. Punissant.   Ayant puni.   8. Venant.   Étant
venu.   9. Vendant.   Ayant vendu.   10. Prenant.   Ayant
pris.   11. Attendant.   Ayant attendu.   12. Mettant.
Ayant mis.   13. Voyant.   Ayant vu.   14. Buvant.   Ayant
bu.   15. Apercevant.   Ayant aperçu.   16. Croyant.   Ayant
cru.   17. Sachant.   Ayant su.   18. Ayant.   Ayant eu.

19. Étant. Ayant été. 20. Voulant. Ayant voulu. 21. Devant. Ayant dû. 22. Pouvant. Ayant pu. 23. Lisant. Ayant lu. 24. Écrivant. Ayant écrit. 25. Dormant. Ayant dormi. 26. Se promenant. S'étant promené. 27. Se lavant. S'étant lavé. 28. Se défendant. S'étant défendu. 29. Se reposant. S'étant reposé. 30. Se trompant. S'étant trompé.

II. 1. Jeanne pense à ses parents en parlant au roi. 2. Elle fait son devoir en obéissant au roi. 3. Le roi a tort en ne l'écoutant pas. 4. Elle ne sera pas heureuse en restant malgré elle. 5. Elle est heureuse en faisant la guerre à l'ennemi. 6. L'ennemi se met à fuir en la voyant. 7. Il recule en la voyant. 8. Elle est faite prisonnière en se battant héroïquement.

III. 1. Il m'a dit au revoir avant de partir. 2. Nous devons finir ce travail avant de nous amuser. 3. Il est parti sans me dire au revoir. 4. Elle a passé près de moi sans me reconnaître. 5. Ces enfants jouent au lieu de travailler. 6. Je me suis promené au lieu de faire mon devoir.

V. 1. En retournant à son village, elle aurait aidé sa famille. 2. En restant à la cour, elle ne serait pas heureuse. 3. Étant fidèle à son roi, elle ne voulait pas lui désobéir. 4. Au lieu de s'amuser, elle préférait travailler. 5. Elle est arrivée à Compiègne sans rencontrer l'ennemi. 6. Elle est entrée dans la ville sans être vue. 7. Elle a combattu seule au lieu de s'enfuir. 8. Sachant que ses troupes étaient moins nombreuses que les leurs, ils ont reculé. 9. En se défendant elle reculait peu à peu. 10. Elle n'aurait pas été faite prisonnière si on n'avait pas fermé les portes.

LEÇON XLIV (p. 279)

I. 1. Jeanne ne pouvait pas s'échapper. 2. Elle pouvait monter sur la tour. 3. Elle entendait les oiseaux chanter. 4. Elle voyait le soleil se coucher. 5. Elle ne voulait pas rester en prison. 6. Elle préférait mourir. 7. Un soldat l'a vue sauter. 8. Il l'a fait entrer en prison.

II. 1. On défend à Jeanne de sortir. 2. On lui permet de monter au sommet de la tour. 3. Il lui est impossible de s'échapper. 4. Elle se met à pleurer. 5. Elle commence à désespérer. 6. Est-ce qu'elle réussira à s'échapper ?

III. 1. Êtes-vous prêt à partir ? 2. Je serais content d'aller avec vous. 3. Ils m'ont invité à venir. 4. J'apprends maintenant à jouer du piano. 5. J'aime à jouer la musique de Chopin. 6. Je ne réussirai jamais à jouer aussi bien que vous. 7. Je ne veux pas cesser d'apprendre. 8. Personne ne m'empêche de travailler. 9. J'ai demandé à mes parents de m'envoyer en France. 10. Ils ont refusé de me laisser partir.

IV. 1. Il faut travailler pour gagner sa vie. 2. On ne peut pas réussir sans travailler. 3. Je vous ai entendu chanter. 4. Il m'a vu sortir. 5. On m'a défendu de quitter la chambre. 6. Voulez-vous me permettre de vous accompagner ? 7. Elle sera contente de vous voir. 8. Ils m'ont invité à dîner avec eux. 9. Vous n'aurez pas le temps de déjeuner. 10. Nous serons obligés de fermer toutes les portes.

V. 1. Ils ne lui permettent pas de sortir de la prison. 2. On lui défend de voir ses amis. 3. Elle monte au sommet de la tour afin de respirer un peu d'air. 4. Comment peut-elle s'échapper ? 5. Il est impossible de sauter d'une tour si haute. 6. Quand les oiseaux commencent à chanter, elle cesse de pleurer. 7. Personne ne vient la voir. 8. La nuit vient de tomber. 9. Elle saute sans regarder. 10. Elle est enfermée entre des murs épais. 11. Elle a sauté afin d'être libre. 12. Elle ne veut pas être prisonnière. 13. Elle préfère être morte. 14. Il est triste de ne pas être libre.

LEÇON XLV (p. 285)

I. 1. J'allai, je n'allai pas. 2. J'avançai. 3. Je changeai. 4. J'obéis. 5. Je punis. 6. Je vendis. 7. Je perdis, je ne perdis pas.

II. 1. Vous allâtes. 2. Nous mangeâmes. 3. Ils achetèrent. 4. Je me levai. 5. Elle choisit. 6. Vous remplîtes. 7. Tu envoyas. 8. Ils attendirent. 9. Nous descendîmes. 10. Ils montèrent. 11. Ils s'habillèrent. 12. Il attacha. 13. Ils menèrent. 14. Vous condamnâtes. 15. Je réussis. 16. Il ne bougea pas. 17. Elle se défendit. 18. Nous menaçâmes. 19. Je me dirigeai. 20. Ils se trompèrent. 21. Je priai. 22. Elle pleura. 23. Ils occupèrent. 24. Il se maria. 25. Je nettoyai.

III. 1. Le seigneur vendit Jeanne aux ennemis. 2. Les ennemis furent contents. 3. Ils la menèrent à Rouen. 4. Cette ville était entre les mains de l'ennemi. 5. On la jeta en prison. 6. Les murs étaient épais et humides. 7. On chercha un prétexte pour la condamner. 8. Cela était très facile. 9. N'était-elle pas sorcière ? 10. Quarante-deux hommes la jugèrent. 11. Tous ces hommes étaient très instruits. 12. Jeanne n'était qu'une pauvre paysanne.

IV. Un jour le seigneur qui tenait Jeanne prisonnière lui a demandé : — Si je vous mets en liberté, vous ne combattrez plus contre moi ? Elle ne lui a pas répondu. Il a ajouté : — Je vous mettrai en liberté si vous me promettez de ne pas combattre contre moi ou contre mes alliés. Quand elle a entendu ces paroles, Jeanne a répondu fièrement : — Vous vous moquez de moi. Vous êtes l'allié des ennemis de la France et ils veulent me faire mourir. Ils

croient que si je meurs ils pourront conquérir la France.
Mais la France chassera tous ses ennemis, même si je
meurs.

Les ennemis ont ordonné à ce seigneur de leur livrer
Jeanne d'Arc. Il la leur a vendue. On l'a menée alors à
Rouen, qui est la capitale de la Normandie. On l'a enfermée au fond d'une grosse tour. Cette prison était
sombre, humide et étroite. Des rats couraient sur le
sol. Dans un coin il y avait un tas de paille pour y
dormir. On a attaché Jeanne à une grosse chaîne de fer.
On croyait qu'elle était sorcière. Ne pourrait-elle pas
s'échapper par le sol, par les murs, par le plafond?

Il fallait trouver un prétexte pour la condamner. Il
n'était pas difficile d'en trouver un ; on la condamnerait
comme sorcière. On a donc formé un tribunal et on a
choisi quarante-deux hommes instruits et habiles. Il fallait
quarante-deux hommes pour juger une jeune fille de dix-
huit ans, qui ne savait ni lire ni écrire !

V.   1. Il lui parla, mais elle ne lui répondit pas. 2. Il se
moquait d'elle. 3. Il lui ordonna de ne pas combattre contre
lui. 4. Elle ne put lui promettre cela. 5. On la laissa seule
dans l'étroite prison. 6. Le sol était humide, les murs
étaient très épais. 7. Elle était couchée sur un peu de
paille. 8. Elle entendit un oiseau chanter dans les arbres.
9. Le soleil se couchait. 10. La nuit tombait. 11. Elle
pensait à son père et à sa mère. 12. L'aimaient-ils encore ?
13. Le roi s'amusait au lieu de la délivrer. 14. Un gros rat
la regardait. 15. Elle se leva. Elle avait peur.

NEUVIÈME RÉVISION (p. 286)

I.   1. Il est . . . heures. 2. Notre leçon commence à . . .
heures. 3. Elle finit à . . . heures. 4. Il y a soixante
minutes dans une heure. 5. Il y a vingt-quatre heures dans

un jour. 6. Ce matin je me suis levé à . . . 7. Je me
coucherai à . . . 8. Je prends mon petit déjeuner à . . . ,
mon déjeuner à . . . , mon dîner à . . . 9. Je mesure . . .
10. Ma chambre à coucher a . . . de long sur . . . de large.

II. 1. Vous avez l'air triste. 2. Est-ce que vous avez
mal à l'estomac ? 3. J'ai mal à la tête. 4. Avez-vous
besoin de quelque chose ? 5. Cela me ferait du bien.
6. Nous avons tort quand nous désobéissons à nos parents.
7. Nos parents ont raison quand ils nous punissent. 8. Je
bois de l'eau quand j'ai soif. 9. Si j'avais faim je me met-
trais à table. 10. Si nous avions sommeil nous n'irions pas
au théâtre. 11. Est-ce qu'il est temps de partir ? 12. Votre
montre avance de dix bonnes minutes.

III. 1. Vous avez menti. Vous n'avez pas menti.
2. Ils ont menti. Ils n'ont pas menti. 3. Est-ce qu'il a
senti quelque chose ? Est-ce qu'il n'a rien senti ? 4. Je
me suis senti mieux. Je ne me suis pas senti mieux. 5. Il
a eu chaud. Il n'a pas eu chaud. 6. Elles ont eu tort.
Elles n'ont pas eu tort. 7. Nous avons eu raison. Nous
n'avons pas eu raison. 8. Avez-vous eu froid ? N'avez-
vous pas eu froid ?

IV. 1. Les rois de France les plus célèbres sont : Louis
neuf, Henri quatre, François premier, Louis quatorze.
2. Napoléon premier est plus grand que Napoléon trois.
3. Un siècle a cent ans. 4. Mon père a quarante et un ans.
5. Il compte son argent : deux cents francs, cent vingt
francs, quatre cent cinquante francs, mille francs. 6. Nous
sommes en l'année mil neuf cent trente-sept. 7. Le quatorze juillet dix-sept cent quatre-vingt-neuf est une date
célèbre. 8. L'année commence le premier janvier. 9. Elle
finit le trente et un décembre. 10. Une année a trois cent
soixante-cinq jours.

V. 1. Je reviendrai dans une huitaine (de jours). 2. Il
faut que j'achète une douzaine de mouchoirs. 3. Il ne
viendra pas avant une quinzaine de jours. 4. J'ai une

vingtaine d'élèves dans cette classe.   5. Cet appareil photographique coûte une centaine de francs.   6. Il y avait là
une foule d'un millier de personnes.   7. La ville de Glasgow
compte maintenant plus d'un million d'habitants.

VI.   1. Le roi, abandonnant Jeanne, s'amusait à la
cour.   2. L'ennemi, menaçant Compiègne, voulait prendre
cette ville.   3. Jeanne, étant seule, se bat héroïquement.
4. Ayant une bonne épée, elle frappe à droite et à gauche.
5. Faisant une sortie, elle se jette sur l'ennemi.   6. Voyant
qu'elle était presque seule, l'ennemi se défend.   7. Sachant
qu'elle serait prise, elle recule vers la ville.   8. Les soldats,
reconnaissant Jeanne, veulent la faire prisonnière. 9. S'apercevant qu'elle est seule, elle veut entrer dans la ville.
10. Voulant fermer les portes, les habitants lèvent le pont-
levis.   11. Croyant qu'elle est entrée, ils ferment les portes
de la ville.   12. Remplissant les rues, ses compagnons la
cherchent dans la ville.

VII.   1. Ayant demandé du secours, la ville de Compiègne attendait Jeanne.   2. Quelques soldats, étant restés
fidèles à Jeanne, vont se battre avec elle.   3. Jeanne, s'étant
reposée, fait une sortie.   4. Les ennemis, ayant aperçu
Jeanne, se mettent à fuir.   5. Les soldats, ayant eu peur,
reculent,   6. Jeanne, ayant été abandonnée, frappe avec sa
bonne épée.   7. Les portes de la ville s'étant fermées, elle
ne peut pas y entrer. · 8. S'étant défendue héroïquement,
elle est faite prisonnière.

VIII.   1. Le seigneur a dit de conduire Jeanne dans une
forteresse.   2. Il a donné l'ordre de l'enfermer dans une
tour.   3. Des soldats l'empêchaient de s'échapper.   4. Ils
ne lui permettaient pas de sortir.   5. Elle commence à désespérer.   6. Un jour elle essaye de s'échapper.   7. Elle ne
réussit pas à sortir de la prison.   8. Elle continue à penser
à son village.   9. Elle se met à prier.   10. Elle regrette
d'être abandonnée de tous ses amis.   11. Le roi oublie de
venir la délivrer.   12. Il aime à s'amuser.

IX.   1. On ne me permet pas de fumer.   2. Je vous défends de me parler ainsi.   3. Il m'a invité à dîner chez lui.
4. Je n'aime pas écrire de longues lettres.   5. Je préfère envoyer des cartes postales.   6. Voulez-vous faire une promenade ce soir ?   7. N'oubliez pas de m'apporter le livre que je vous ai demandé.   8. Il commence à faire nuit.
9. Il ne réussit pas à ouvrir la porte.   10. J'essaye de comprendre ce qu'il m'écrit.   11. Il est impossible d'imaginer un homme plus bête.   12. Nous avons peur de ne pas le trouver chez lui.   13. Êtes-vous prêt à sortir ?   14. Je n'ai pas le temps de le recevoir.

X.   1. Il me parla.   2. Je ne lui répondis pas.   3. Ils la condamnèrent.   4. On la jugea.   5. Qui la vendit à l'ennemi ?   6. Nous allâmes la voir.   7. Je commençai à désespérer.   8. L'entendîtes-vous pleurer ?   9. Où enferma-t-on la prisonnière ?   10. Les soldats l'attachèrent à une grosse chaîne.   11. Est-ce qu'elle s'échappa ?   12. Je sautai du sommet de la tour.   13. Nous réussîmes à la condamner.   14. Nous la menâmes à Rouen.   15. On la jeta au fond d'une grosse tour.

XI.   1. Le seigneur lui parla, mais elle ne lui répondit pas.   2. Est-ce qu'il se moquait d'elle ?   3. Pourquoi lui ordonna-t-il de ne pas combattre contre lui ?   4. Il livra Jeanne aux ennemis.   5. On la jeta dans une prison.
6. Cette prison était sombre et humide.   7. Il n'y avait pas de lit.   8. Il n'y avait qu'un tas de paille dans un coin.   9. Comment pouvait-elle s'échapper ?   10. Elle fut attachée à une grosse chaîne de fer.   11. Mais il fallait la condamner.   12. Cela n'était pas difficile.
13. N'était-elle pas sorcière ?   14. On choisit des hommes instruits et habiles.   15. Ces hommes la jugèrent et la condamnèrent.

XII.   1. Il faut que je descende en ville pour acheter du pain.   2, 3. Un complet fait sur mesure va toujours mieux qu'un vêtement tout fait.   4. Prenez un verre de vin ; cela

vous fera du bien.   5. J'ai le temps ; ma montre avance de
dix minutes.   6. Dépêchons-nous : je crois que ma montre
retarde de cinq ou dix minutes.   7. Il est tellement
généreux qu'il vous donnera tout ce que vous voudrez.
8. Je mange des légumes plutôt que de la viande.   9. S'il
se met à pleuvoir, nous ne pourrons pas sortir.   10. Jeanne
reculait vers la ville en se battant bravement.   11. Il y
avait des morts à droite et à gauche de la route.   12. Il
m'a regardé pendant quelques instants, puis est parti.
13. On ordonna aux soldats de fermer les portes de la ville.
14. Ma mère n'est pas là, elle vient de sortir.   15. A l'occa-
sion de la fête nationale, beaucoup de prisonniers ont été
mis en liberté.

XIII.   1. Je ne mens pas.   Je ne mentais pas.   Je n'ai
pas menti.   Je ne mentirai pas.   2. Qu'est-ce que vous
sentez ?   Qu'est-ce que vous sentiez ?   Qu'est-ce que vous
avez senti ?   Qu'est-ce que vous sentirez ?   3. Elle bat
tous ses ennemis.   Elle battait tous ses ennemis.   Elle a
battu tous ses ennemis.   Elle battra tous ses ennemis.
4. Nous combattons pour la liberté.   Nous combattions
pour la liberté.   Nous avons combattu pour la liberté.
Nous combattrons pour la liberté.   5. Ils se battent héroïquement.   Ils se battaient héroïquement.   Ils se sont
battus héroïquement.   Ils se battront héroïquement.

XIV.   1. Ces vêtements sont trop étroits pour moi.
2. Je désire acheter un complet neuf.   3. Jeanne tient
une épée à la main droite.   4. Elle tient un étendard à
la main gauche.   5. Ses victoires étaient étonnantes.
6. Ses ennemis étaient très nombreux.   7. Ses compagnons étaient fidèles.   8. Les Français voulaient être
libres.   9. Beaucoup de soldats sont morts dans la bataille.
10. Jeanne est restée seule au milieu des ennemis.   11. Beaucoup de soldats sont blessés.   12. On l'attache à une grosse
chaîne.   13. Elle ne peut pas respirer l'air pur.   14. La
prison est très sombre.   15. La paille est humide.   16. Les

juges qui la condamnèrent étaient habiles. 17. Jeanne n'est pas instruite.

XV. 1. Descendons en ville. 2 J'ai besoin d'un complet. 3. Quelle heure est-il ? 4. Il est onze heures et demie. 5. Vous avez raison. 6. Ma montre retarde de dix minutes. 7. Pourquoi avez-vous sommeil ? 8. Je me suis levé à six heures moins le quart. 9. C'est le premier mai aujourd'hui. 10. Je recevrai deux cents francs le dix de ce mois. 11. Je pense que les victoires de Napoléon Premier sont plus étonnantes que celles de Louis Quatorze. 12. Il y eut beaucoup de guerres au quinzième siècle. 13. Il y a quelques années les Anglais remportèrent une grande victoire. 14. Ils se battirent héroïquement en France en mil neuf cent dix-huit. 15. En obéissant à Charles sept, Jeanne d'Arc restait fidèle à son pays. 16. Le roi s'amusait au lieu de combattre. 17. Étant seule au milieu des ennemis, elle fut faite prisonnière. 18. On ne lui permettait pas de parler à ses amis. 19. Des soldats l'empêchaient de s'échapper. 20. Réussira-t-elle à sauter du sommet de la tour ? 21. Elle commence à désespérer. 22. Il est impossible de fuir. 23. Elle était attachée à une épaisse chaîne de fer. 24. Elle ne pouvait pas respirer l'air pur. 25. Elle entendait des rats courir sur le sol humide.

LEÇON XLVI (p. 299)

III. 1. *Ind. pr.*, Ils tinrent. 2. *Futur*, Je vins. 3. *Passé comp.*, Il obtint. 4. *Passé comp.*, Nous revînmes. 5. *Futur*, Elles n'écrivirent pas. 6. *Imparf.*, Vous prîtes. 7. *Passé comp.*, Il obéit. 8. *Ind. pr.*, Firent-ils ? 9. *Futur*, Il ne vit pas. 10. *Imparf.*, Je dis. 11. *Passé comp.*, Il ne mit pas. 12. *Passé comp.*, Nous eûmes. 13. *Passé comp.*, Elle fut. 14. *Passé comp.*, Je fis. 15. *Ind. pr.*, Nous transportâmes. 16. *Passé comp.*, Il enregistra. 17. *Imparf.*

Vous décidâtes.   18.* *Ind. pr.*, Ils ne prirent pas.   19. *Futur*, Je vis.   20. *Cond. pr.*, Il tint.

IV.   Le départ de la famille Lenoir pour la France a été enfin décidé pour le quinze juin.   Monsieur Lenoir a fait retenir une cabine sur un bateau de Southampton.   Puis il a écrit au gouvernement pour obtenir un passeport. Hélène et Arthur ont fait leurs adieux à leurs amis.   Ceux-ci leur ont dit de leur envoyer des cartes postales de Paris et ils leur ont souhaité bon voyage.   Le jour du départ on a fait transporter les malles et les valises à la gare.   Monsieur Lenoir a pris les billets de chemin de fer et a fait enregistrer les bagages.   Le train est arrivé en gare. Hélène et Arthur sont montés en wagon avec leurs parents. Le train est parti et en quelques heures ils sont arrivés au port d'embarquement où ils ont pris le bateau.

La traversée a été assez agréable.   Ils ont eu du beau temps pendant tout le voyage.   Quand ils sont arrivés au Havre, ils ont pris le train pour Paris.   En route ils ont vu une belle campagne passer devant leurs yeux.   Le train n'a mis que trois heures pour arriver à Paris.   Quand ils sont descendus du train, ils ont été accueillis par des parents et des amis qui étaient venus à leur rencontre. Hélène et Arthur étaient si heureux d'être enfin à Paris.

V.   1. Nous retînmes une cabine sur le bateau.   2. Nous eûmes une grande cabine, mais la leur était étroite et sombre.   3. Nous dîmes adieu à nos amis.   4. Je fis envoyer ma malle à la gare.   5. Ma valise n'était pas lourde ; je la portai moi-même.   6. Le train partait quand nous arrivâmes.   7. Nos bagages étaient prêts et je les fis enregistrer.   8. Mon père me dit de prendre les billets. 9. Je les pris et nous montâmes dans le train.   10. Le bateau nous attendait.   11. Il faisait beau et nous eûmes une traversée agréable.   12. Quand je vis Paris je fus très heureux.   13. Nos amis étaient venus à notre rencontre. 14. Ils furent heureux de nous voir.

LEÇON XLVII (p. 304)

II.   1. *Futur*, Il voulut.   2. *Ind. pr.*, Elles durent.
3. *Futur*, Je pus.   4. *Ind. pr.*, Vous crûtes.   5. *Ind. pr.*,
Il n'aperçut pas.   6. *Ind. pr.*, Surent-ils ?   7. *Cond. pr.*,
Vous dûtes.   8. *Futur*, Il ne sut pas.   9. *Imparf.*, Vous
lûtes.   10. *Ind. pr.*, Il ne fallut pas.   11. *Imparf.*, Nous
connûmes.   12. *Ind. pr.*, Aperçut-il ?   13. *Cond. pr.*, Elles
voulurent.   14. *Passé comp.*, Vous bûtes.   15. *Ind. pr.*,
Je lus.   16. *Imparf.*, Il put.   17. *Futur*, Ils durent.
18. *Imparf.*, Vous ne sûtes pas.   19. *Futur*, Nous eûmes.
20. *Imparf.*, Vous fûtes.

III.   Comme Jeanne était soumise à toutes sortes de
tortures physiques et morales, elle est tombée enfin gravement malade.   Quand ses ennemis ont su qu'elle était en
danger de mourir en prison, ils ont eu peur.   Il y avait
longtemps qu'ils avaient décidé de la faire mourir d'une
mort atroce.   On a donc dû appeler un médecin pour la
faire soigner.   Ce médecin l'a guérie.   Aussitôt qu'elle a
été guérie, le procès a continué.

Les juges l'accusaient de crimes imaginaires, comme par
exemple de porter des vêtements d'homme.   Ils ont voulu la
forcer à confesser que ses voix ne venaient pas de Dieu, mais
du diable, et que, par conséquent, elle était sorcière.   Mais
ils ont eu beau faire ; ils n'ont pas pu vaincre son courage.

Enfin ils ont eu recours à une ruse.   On a lu devant elle
un document et on lui a demandé de le signer.   Jeanne a
signé en faisant une croix.   Le document qu'on avait lu
devant elle ne contenait aucune accusation grave.   Mais
on avait adroitement remplacé ce document par un autre
qui contenait des accusations très graves contre Jeanne.
Comme elle ne savait ni lire ni écrire, elle n'a pas reconnu
la ruse.   Jeanne avait ainsi signé sa condamnation sans
le savoir.   Elle était perdue.

IV.   1. J'étudie le français depuis un an.   2. Il y a
trois ans que je suis ici.   3. Il y a dix ans que ma famille
demeure dans cette ville.   4. Il y a deux ans que j'ai
quitté l'école primaire.   5. Je le connais depuis l'année
dernière.   6. Il y a au moins six mois que je n'ai été au
théâtre.

V.   1. Elle est en prison depuis plusieurs mois.   2. Ses
juges lui posent des questions embarrassantes depuis
quinze jours.   3. Depuis combien de temps durent ses
tortures ?   4. Quand elle sut qu'elle était en danger de
mourir, elle envoya chercher le médecin.   5. Pendant
qu'on la soignait, ses ennemis voulurent continuer le procès.
6. Ils la forcèrent à signer un document qui contenait de
graves accusations contre elle.   7. Elle ne le lut pas, mais
elle fit une croix au lieu d'écrire son nom.   8. Quand elle
reconnut la ruse il était trop tard.   9. Une mort atroce
l'attendait.   10. Elle avait beau faire, elle ne pouvait
forcer les juges à continuer le procès.   11. Elle était
accusée de porter des habits d'homme.   12. Était-ce un
crime grave ?   13. Si le diable l'avait aidée, aurait-elle
été aussi brave sur le champ de bataille ?

LEÇON XLVIII (p. 309)

I.   1. Chèrement. 2. Seulement. 3. Grandement. 4. Mal-
heureusement. 5. Largement. 6. Autrement. 7. Affreuse-
ment. 8. Courageusement. 9. Dernièrement. 10. Cruellement. 11. Vraiment. 12. Pauvrement. 13. Suffisamment.
14. Innocemment.   15. Longuement.   16. Gravement.
17. Adroitement.   18. Agréablement.   19. Habilement.
20. Légèrement. 21. Librement. 22. Fidèlement. 23. Élé-
gamment. 24. Étroitement. 25. Durement. 26. Lourde-
ment. 27. Parfaitement. 28. Sévèrement. 29. Bravement.
30. Fraîchement. 31. Chaudement.

II.   1. Est-ce que vous partez déjà ?   2. Il est déjà parti.   3. Elle vient souvent me voir.   4. Vous n'allez pas souvent au cinéma.   5. J'ai souvent entendu cette histoire.   6. Nous nous éveillons toujours à six heures. 7. Les Américains ont toujours aimé la liberté.   8. La France n'a pas toujours été une république.   9. J'irai encore chez vous.   10. Mon oncle n'est pas encore arrivé. 11. Je ne sortirai pas aujourd'hui.   12. Je ne vous ai pas vu aujourd'hui.   13. Vous avez bien travaillé.   14. Je n'ai pas bien dormi.   15. Nous nous couchons tard. 16. Nous nous sommes levés tard.   17. Elle aime tant son pays.   18. Elle a tant pleuré.   19. Je vous écrirai bientôt. 20. J'ai bientôt fini.

III.   1. Elle avait été gravement (grièvement) blessée. 2. Jeanne a beaucoup souffert.   3. Elle était très malade. 4. Elle répondait fièrement à ses juges.   5. Elle priait ardemment pour la France.   6. Elle avait bravement combattu pour son pays.   7. Tous ses amis l'ont lâchement abandonnée.   8. Elle doit mourir atrocement. 9. Ses ennemis l'ont cruellement punie.   10. Les Français l'aimeront fidèlement.

IV.   Les juges ont immédiatement déclaré que Jeanne était coupable.   Elle a donc été condamnée à être brûlée sur la place publique de Rouen.   A cette affreuse nouvelle, la pauvre fille s'est mise à pleurer amèrement.   Elle s'est écriée :—Oh, j'aimerais mieux être décapitée dix fois que d'être ainsi brûlée.

On l'a alors habillée d'une longue robe blanche et on lui a coupé les cheveux.   Puis on l'a menée sur la place du marché où l'on avait déjà dressé un grand bûcher.

La place du marché était remplie de monde.   La foule voulait voir cette jeune fille extraordinaire, qui avait gagné tant de victoires sur l'ennemi.   Il y avait aussi beaucoup de soldats pour empêcher Jeanne de s'échapper et pour empêcher la foule de la sauver.

Tous les bons Français pleuraient. Peut-être attendaient-ils un grand miracle. Aussi espéraient-ils encore que Jeanne serait sauvée.

Tous les juges étaient là, assis sur une estrade. En face d'eux, Jeanne se tenait debout. Elle était très pâle. Elle avait tant souffert en prison et elle souffrait encore beaucoup.

Enfin le président s'est levé et a lu lentement la sentence de mort. Jeanne s'est mise à genoux et a prié ardemment pour la France. Puis elle a dit doucement à ceux qui l'entouraient : — Je vous demande pardon si je vous ai fait de la peine.

Deux soldats se sont alors avancés. Ils ont saisi Jeanne et l'ont poussée brutalement vers le bûcher.

VI. 1. Le juge s'est alors levé. 2. Il n'a pas encore lu la sentence de mort. 3. Les bourreaux vont bientôt la saisir. 4. Ils lui ont déjà coupé les cheveux. 5. Ils l'ont aussi habillée d'une robe blanche. 6. Beaucoup de soldats se tenaient déjà sur la place publique. 7. Ils étaient évidemment très heureux. 8. Ils ont souvent vu la mort. 9. Ils ont immédiatement entouré l'estrade. 10. Ils se sont avancés et l'ont saisie. 11. Elle aurait tant aimé (à) vivre. 12. Son jeune corps sera-t-il bientôt brûlé sur le bûcher ?

LEÇON XLIX (p. 315)

I. 1. Je ne suis jamais allé à Washington. 2. Cette ville est en Amérique. 3. Mon père est né en Europe. 4. Je suis né aux États-Unis. 5. Mon frère a voyagé au Canada. 6. Il a passé un an à Québec. 7. Nous irons à New-York. 8. Mon cousin n'est jamais venu aux États-Unis. 9. Je n'ai jamais été en Espagne. 10. Je voudrais aller en Italie. 11. Beaucoup d'Américains vont à Paris. 12. Quelques-uns vont au Maroc. 13. Nos voisins ont

été au Mexique. 14. Voudriez-vous aller au Japon ?
15. Quand reviendra-t-il en France ? 16. J'arrive du
Canada. 17. Avez-vous vu le roi d'Angleterre ? 18. Nous
avons étudié l'histoire de France.

II. 1. Nous voyagerons dans la vieille Europe.
2. Nous visiterons le vieux Paris. 3. Nous passerons
quelques mois dans la belle France. 4. Nous resterons
quelques jours dans la belle Normandie. 5. Nous nous
promènerons dans toute l'Italie. 6. Nous verrons toute
l'Angleterre. 7. Nous reviendrons dans la jeune Amérique.
8. Nous demeurons dans le Canada français.

III. 1. C'est un savant professeur. 2. Mon frère est
un grand ingénieur. 3. C'est un riche médecin. 4. Notre
voisin est un avocat habile. 5. Franklin est un Américain
célèbre. 6. Marie est une bonne élève.

IV. 1. Les soldats mirent le feu au bûcher. 2. Il ne
reste plus que quelques minutes avant le départ du train.
3. Au-dessus de la montagne passait un aéroplane. 4. Je
viendrai à pied ou en voiture selon le temps. 5. Il est
impossible de résister à des hommes aussi habiles. 6. J'ai
vu quelque chose qui brillait comme une étoile.

V. Avec une corde les soldats ont attaché Jeanne à un
poteau au-dessus du bûcher. On avait mis sur sa poitrine
un grand écriteau disant qu'elle était sorcière. On a alors
mis le feu aux branches de bois sec, qui ont brûlé rapidement. La fumée montait en nuages épais. Jeanne a été
bientôt entourée de flammes. On l'a entendu crier : — Mes
voix ne m'ont pas trompée. Mes voix etaient de Dieu.
Puis elle est morte en priant.

Tout à coup, selon la légende, un soldat a vu une colombe
sortir des flammes et s'envoler vers le ciel. C'était,
pensait-il, l'âme de Jeanne. Il s'est écrié : — Nous sommes
perdus. Nous avons brûlé une sainte.

Maintenant, à la place du bûcher, il ne restait plus
qu'un tas de cendres chaudes. On a donné l'ordre de les

jeter dans la Seine.   Or parmi les cendres on a aperçu quelque chose de rouge, qui brillait comme une flamme. C'était le cœur de Jeanne, ce brave cœur qui avait résisté au feu comme à toutes les épreuves.

Ainsi est morte à Rouen, en Normandie, la plus grande héroïne de l'histoire de France.   Dans toute la France on a pleuré sa mort.   Mais le peuple français n'oubliera pas celle qui avait donné l'exemple de tant de courage et de dévouement.   L'âme de Jeanne d'Arc vit encore en France.

VII.   1. Les soldats mirent le feu aux branches de bois sec.   2. Selon l'écriteau qu'on avait mis sur sa poitrine, Jeanne était sorcière.   3. Des nuages de fumée s'élevaient au-dessus d'elle.   4. Elle s'écria que ses voix ne l'avaient pas trompée.   5. Elle mourut en priant pour son pays. 6. Les ennemis avaient brûlé une sainte.   7. Un soldat vit une colombe sortir du feu.   8. L'âme de Jeanne s'envolait vers le ciel.   9. Qu'est-ce qui brillait comme une flamme dans le tas de cendres chaudes?   10. C'était le cœur de Jeanne qui n'avait pas brûlé.   11. Il avait résisté aux flammes.   12. C'était son cœur qui avait montré tant de courage.   13. Son âme n'est pas morte; elle vit encore en France.   14. La France oubliera-t-elle l'exemple de la brave héroïne?

LEÇON L (p. 321)

I.   1. Nous ne demandons pas toujours nos cahiers au professeur.   Demandons-nous toujours nos cahiers au professeur?   Ne demandons-nous pas toujours nos cahiers au professeur?   2. Mon père n'écrit pas souvent de lettres à ses amis.   Mon père écrit-il souvent des lettres à ses amis?   Mon père n'écrit-il pas souvent des lettres à ses amis?

II.   1. Nous avons toujours demandé nos cahiers au professeur.   Nous n'avons pas toujours demandé nos cahiers au professeur.   Avons-nous toujours demandé nos cahiers au professeur ?   N'avons-nous pas toujours demandé nos cahiers au professeur ?   2. Mon père a souvent écrit des lettres à ses amis.   Mon père n'a pas souvent écrit de lettres à ses amis.   Mon père a-t-il souvent écrit des lettres à ses amis ?   Mon père n'a-t-il pas souvent écrit des lettres à ses amis ?

III.   (a) 1. Nous les lui demandons toujours.   Nous ne les lui demandons pas toujours.   Les lui demandons-nous toujours ?   Ne les lui demandons-nous pas toujours ? 2. Mon père leur en écrit souvent.   Mon père ne leur en écrit pas souvent.   Mon père leur en écrit-il souvent ? Mon père ne leur en écrit-il pas souvent ?

(b) 1. Nous les lui avons toujours demandés.   Nous ne les lui avons pas toujours demandés.   Les lui avons-nous toujours demandés ?   Ne les lui avons-nous pas toujours demandés ?   2. Mon père leur en a souvent écrit.   Mon père ne leur en a pas souvent écrit.   Mon père leur en a-t-il souvent écrit ?   Mon père ne leur en a-t-il pas souvent écrit ?

IV.   1. Où ont-ils brûlé Jeanne ?   Où est-ce qu'ils ont brûlé Jeanne ?   2. Où les Français lui ont-ils élevé des statues ?   Où est-ce que les Français lui ont élevé des statues ?   3. Quand est finie la guerre ?   Quand la guerre est-elle finie ? · Quand est-ce que la guerre est finie ? 4. Quand les Français ont-ils battu leurs ennemis ?   Quand est-ce que les Français ont battu leurs ennemis ?   5. Comment sont morts les soldats ?   Comment les soldats sont-ils morts ?   Comment est-ce que les soldats sont morts ? 6. Comment la poésie a-t-elle glorifié Jeanne d'Arc ?   Comment est-ce que la poésie a glorifié Jeanne d'Arc ?   7. Combien de temps a duré la guerre ?   Combien de temps la guerre a-t-elle duré ?   8. Combien de victoires Jeanne a-t-elle remportées ?   Combien de victoires a remportées Jeanne ?   Combien est-ce que Jeanne a remporté de

victoires ?   9. Quel âge avait Jeanne ?   Quel âge Jeanne
avait-elle ?   Quel âge est-ce qu'avait Jeanne ?   10. Quand
Jeanne a-t-elle pris Orléans ?   Quand est-ce que Jeanne
a pris Orléans ?   11. Que font les soldats ?   Qu'est-ce que
font les soldats ?   12. Que veulent avoir tous les pays ?
Qu'est-ce que veulent avoir tous les pays ?   13. A quoi
sert son sacrifice ?   A quoi est-ce que sert son sacrifice ?   A
quoi son sacrifice sert-il ?   14. De quoi se sont servis tous
les écrivains ?   De quoi est-ce que se sont servis tous les
écrivains ?   De quoi tous les écrivains se sont-ils servis ?

VI.   1. Que devient son pays et à quoi a servi sa mort ?
2. N'a-t-elle pas dit à ses juges avant de mourir que la
France triompherait ?   3. Qui conduira les soldats à la
victoire maintenant que Jeanne est morte ?   4. Son
sacrifice et son dévouement relèveront-ils le courage des
soldats ?   5. Le sacrifice de Jeanne a servi d'exemple de
grand patriotisme.   6. Pourquoi tant d'écrivains ont-ils
glorifié cette humble bergère ?   7. Pourquoi a-t-on soi-
gneusement conservé sa petite maison ?   8. N'a-t-on pas
élevé des statues et des monuments dans tous les pays
du monde ?   9. Quand la peinture et la poésie ont-elles
glorifié une plus belle âme ?   10. Admirons-la, aimons-la,
ne l'oublions pas.

DIXIÈME RÉVISION (p. 323)

I.   1. Nous fîmes retenir une cabine.   2. J'écrivis pour
obtenir un passeport.   3. Je fis mes adieux.   4. Mon ami
me dit de lui envoyer une carte postale.   5. Il me souhaita
bon voyage.   6. Mes parents prirent des billets de chemin
de fer.   7. Nous arrivâmes à l'heure.   8. Nous prîmes le
bateau.   9. Je vis une belle campagne.   10. Est-ce que
vous fûtes accueilli par vos amis ?   11. Ils promirent de
venir à notre rencontre.   12. Ils ne vinrent pas.

II. 1. Quand ils sont arrivés ils ont pris le train.
2. Quand notre départ a été décidé, j'ai obtenu un passeport. 3. Quand nous avons fait (*ou* nous avons eu fait)
nos adieux à nos amis, nous sommes montés en wagon.
4. Quand le train est parti (*ou* a été parti) nos amis sont
rentrés chez eux. 5. Nous avons eu du beau temps après
que nous sommes arrivés au Havre. 6. Après que mes
parents ont vu (*ou* ont eu vu) le Havre, ils ont pris le train
pour Paris. 7. Quand ils sont arrivés ils ont été accueillis
par leurs amis. 8. Après que vous êtes partis (*ou* vous
avez été partis), j'ai écrit à vos parents. 9. Quand ils ont
mangé (*ou* ont eu mangé) ils ont fait une promenade. 10. Ils
sont revenus chez eux après qu'ils ont fait (*ou* ont eu fait)
enregistrer leurs bagages.

III. 1. Ils n'arrivèrent pas à condamner Jeanne.
2. Les juges lui firent toutes sortes de questions. 3. Elle
fut soumise à toutes sortes de tortures. 4. Elle fut
malade. 5. Ses ennemis le surent. 6. Ils durent appeler
un médecin. 7. Le médecin la guérit. 8. On voulut la
faire mourir. 9. On ne put pas vaincre son courage.
10. Ses juges lurent un document devant elle. 11. Jeanne
ne put pas signer, mais elle fit une croix. 12. Jeanne
n'aperçut pas la ruse.

IV. 1. Depuis quand êtes-vous en France ? 2. Depuis
combien de temps apprenez-vous le français ? 3. Combien
de temps y a-t-il qu'il est parti ? 4. Il y a un mois que
je suis là. 5. Voilà une semaine que mon frère est arrivé.
6. Il y avait un an que j'étais malade.

V. 1. Jeanne était donc coupable. 2. Elle a donc été
condamnée. 3. On lui avait déjà coupé les cheveux.
4. La place publique était déjà couverte de monde. 5. Elle
a beaucoup souffert. 6. Elle a beaucoup aimé son pays.
7. Nous l'admirerons toujours. 8. Ne l'avons-nous pas
toujours admirée ? 9. J'aime tant l'histoire de Jeanne
d'Arc. 10. Elle a tant aimé la France. 11. N'avez-vous

pas encore lu son histoire ? 12. Est-ce que vous ne l'avez pas encore finie ? 13. Je l'ai lue aujourd'hui. 14. Je ne l'ai pas étudiée aujourd'hui.

VI. 1. Lent. 2. Doux. 3. Malheureux. 4. Fier. 5. Évident. 6. Éternel. 7. Sec. 8. Grave. 9. Agréable. 10. Public. 11. Seul. 12. Étroit. 13. Héroïque. 14. Léger.

VII. 1. Je voudrais aller en France. 2. Je ne suis jamais allé en Europe. 3. Avez-vous été au Canada ? 4. Mon ami est allé au Japon. 5. Quand êtes-vous revenu d'Allemagne ? 6. Mon frère arrive aujourd'hui du Maroc. 7. Combien de temps êtes-vous resté à Paris ? 8. Je voudrais aller à Paris. 9. Mon père n'est pas encore arrivé à Paris. 10. Il a vu le roi d'Italie. 11. Mon cousin viendra aux États-Unis. 12. Il a voyagé dans toute la France. 13. Mon oncle est né dans la vieille Normandie. 14. Il demeure dans le vieux Rouen.

VIII. 1. Oui, il est américain. C'est un Américain célèbre. 2. Oui, il est français. C'est un Français célèbre. 3. Oui, elle est française. C'est une Française célèbre. 4. Oui, il est ingénieur. C'est un grand ingénieur. 5. Oui, il est médecin. C'est un riche médecin. 6. Oui, il est avocat. C'est un avocat habile. 7. Oui il était roi de France. C'était un roi insouciant. 8. Oui, Washington était président des États-Unis. Il fut le premier président des États-Unis.

IX. 1. On posait à Jeanne des questions embarrassantes. 2. Le document contenait des accusations graves. 3. On l'accusait de crimes imaginaires. 4. On l'avait jetée dans une affreuse prison. 5. Si Jeanne n'est pas coupable, pourquoi veut-on là faire mourir ? 6. Elle mourra d'une mort atroce. 7. Des soldats la mènent sur la place publique. 8. Sa figure était très pâle. 9. Les branches sèches brûlaient rapidement. 10. L'âme de Jeanne est encore vivante. 11. Sa gloire est éternelle. 12. Les Français garderont pour elle un amour éternel.

X. 1. Charles n'envoie pas toujours des cadeaux à son ami. Charles envoie-t-il toujours des cadeaux à son ami ? Charles n'envoie-t-il pas toujours des cadeaux à son ami ? 2. Marie ne montre pas souvent son devoir à sa mère. Marie montre-t-elle souvent son devoir à sa mère ? Marie ne montre-t-elle pas souvent son devoir à sa mère ?

B. 1. Charles a toujours envoyé des cadeaux à son ami. Charles n'a pas toujours envoyé des cadeaux à son ami. Charles a-t-il toujours envoyé des cadeaux à son ami ? Charles n'a-t-il pas toujours envoyé des cadeaux à son ami ? 2. Marie a souvent montré son devoir à sa mère. Marie n'a pas souvent montré son devoir à sa mère. Marie a-t-elle souvent montré son devoir à sa mère ? Marie n'a-t-elle pas souvent montré son devoir à sa mère ?

C. 1. Charles lui en envoie toujours. Charles ne lui en envoie pas toujours. Charles lui en envoie-t-il toujours ? Charles ne lui en envoie-t-il pas toujours ? Charles lui en a toujours envoyé. Charles ne lui en a pas toujours envoyé. Charles lui en a-t-il toujours envoyé ? Charles ne lui en a-t-il pas toujours envoyé ? 2. Marie le lui montre souvent. Marie ne le lui montre pas souvent. Marie le lui montre-t-elle souvent ? Marie ne le lui montre-t-elle pas souvent ? Marie le lui a souvent montré. Marie ne le lui a pas souvent montré. Marie le lui a-t-elle souvent montré ? Marie ne le lui a-t-elle pas souvent montré ?

XI. 1. Pourquoi ses ennemis l'ont-ils condamnée ? Pourquoi est-ce que ses ennemis l'ont condamnée ? 2. Que voulaient ses juges ? Qu'est-ce que voulaient ses juges ? 3. Qui a abandonné Jeanne ? Qui est-ce qui a abandonné Jeanne ? 4. De quoi est-elle accusée ? De quoi est-ce qu'elle est accusée ? 5. Quel document Jeanne avait-elle signé ? Quel document est-ce que Jeanne avait signé ? Quel document est-ce qu'avait signé Jeanne ? 6. Combien de statues lui ont élevées les Français ? Combien de statues les Français lui ont-ils élevées ? Combien est-ce que les Français lui ont élevé de statues ? 7. Où a été trouvé son cœur ? Où son cœur a-t-il été trouvé ? Où est-ce qu'a été trouvé son cœur ? 8. Comment est morte Jeanne ? Comment Jeanne est-elle morte ? Comment est-ce qu'est morte Jeanne ? 9. Quand la France a-t-elle été sauvée ? Quand est-ce que la France a été sauvée ?

XII.   1. Il faut que vous fassiez retenir une cabine sur le bateau.   2. Avant de partir, je viendrai vous faire mes adieux.   3. Puis je ferai transporter mes bagages à la gare.   4. Si je n'ai pas assez d'argent j'aurai recours à mon père.   5. Cela me fait de la peine que vous ne puissiez pas venir avec moi.   6. Je vous demande pardon de la peine que je vous ai faite.   7. Il était tellement fatigué qu'il ne pouvait plus se tenir debout.   8. Mettez-vous à genoux pour me demander pardon.   9. Dieu est au-dessus de nous tous.   10. Il ne reste plus que quelques cendres du grand feu que nous avions allumé.   11. Chaque fois que je le rencontre il me salue.   12. Que deviendra mon jardin si je reste longtemps absent ?

XIII.   1. Le crayon sert à écrire.   2. Je me sers d'une plume pour dessiner.   3. A quoi sert de tant courir ? 4. Jeanne d'Arc est morte héroïquement.   5. Elle a vécu peu d'années, mais les a bien remplies.   6. Vive la France !

XIV.   1. Les avez-vous enregistrées ?   2. Nous les avons retenues.   3. Qui l'a accusée ?   4. Le médecin ne l'a pas guérie.   5. Ne les a-t-elle pas signés ?   6. Elle leur répondait fièrement.   7. On les lui a coupés.   8. Il en revient.   9. Est-ce que vous y êtes allé ?   10. On lui en a élevé beaucoup.   11. J'en ai vu une.   12. Je l'y ai vue. 13. Qui vous en a parlé ?   14. Est-ce qu'ils y ont demeuré ? 15. Leur écrivez-vous souvent ?   16. Est-ce que vous y alliez souvent ?

XV.   1. Ils ont fait envoyer leurs malles à la gare. 2. Le train était en retard.   3. Ils ont pris leurs billets et sont montés dans le train.   4. Leurs amis sont venus à leur rencontre.   5. Ils étaient contents de les voir.   6. J'ai été à Paris il y a deux ans.   7. Nous avons lu l'histoire de Jeanne d'Arc.   8. Ses juges voulaient la condamner.   9. Ils l'ont forcée à signer un document qui contenait des crimes imaginaires.   10. Elle ne savait pas écrire son nom, mais elle a fait une croix.   11. C'était une ruse afin de la condamner.   12. Il y avait un an qu'elle était en prison.   13. Elle pensait souvent à sa mère.   14. Elle aurait tant aimé retourner à son village.   15. Deux soldats l'ont saisie et l'ont menée sur la place publique.   16. Il y avait déjà beaucoup de gens autour du bûcher.   17. Ils ont placé un écriteau sur sa poitrine disant qu'elle était sorcière.   18. Ils l'ont attachée à un poteau au-dessus du tas de branches sèches.   19. Elle a été bientôt entourée de flammes.   20. Un soldat a vu quelque chose de rouge dans les cendres chaudes.   21. C'était le cœur de Jeanne que le feu n'avait pas pu brûler.   22. On a jeté ses cendres dans la Seine.   23. Les ennemis avaient brûlé une sainte.   24. Ils savaient qu'ils étaient perdus et qu'ils seraient chassés de France.   25. La peinture, la sculpture, la prose, la poésie, tous les arts célébreront sa vie et sa mort.

DEUXIEME PARTIE

LEÇON LI (p. 338)

I. 1. Il faut que je monte. 2. Il faut que je descende. 3. Il faut que j'appelle. 4. Il faut que j'écrive. 5. Il faut que j'obéisse. 6. Il faut que je parte. 7. Il faut que je commence. 8. Il faut que je jette. 9. Il faut que je me lève. 10. Il faut que je revienne. 11. Il faut que je lise. 12. Il faut que je réponde. 13. Il faut que je comprenne. 14. Il faut que je vende. 15. Il faut que j'étudie.

II. 1. Il faut que nous téléphonions au médecin. 2. Mes parents veulent que je guérisse. 3. Je voudrais que le médecin vienne. 4. Il ne faut pas qu'ils sortent. 5. Je ne veux pas que vous buviez de café. 6. Il ne faut pas qu'il attrape un rhume. 7. Je voudrais que le médecin prenne ma température. 8. Il faut que je vous soigne bien. 9. Où voulez-vous que je mette ceci? 10. Mon ami voudrait que je lui écrive. 11. Elle ne veut pas que nous lisions ses lettres.

III. 1. Il faut que j'écrive à mes parents. 2. Faut-il que j'appelle le médecin? 3. Il ne faut pas que votre enfant sorte. 4. Je voudrais que vous me disiez ce que c'est que ça. 5. Mes parents ne veulent pas que j'aille en Amérique cette année. 6. Ils désirent que je reste avec eux.

IV. 1. Il faut que je reste au lit parce que je suis enrhumé. 2. Voulez-vous que le docteur vienne? 3. Je voudrais bien que vous portiez cette ordonnance au pharmacien. 4. Est-ce qu'il faut que vous preniez une pilule

toutes les deux heures ?   5. Ne désirez-vous pas que j'aille
bien ?   6. Oui, j'espère que vous irez bien aussitôt que
possible.   7. Voulez-vous que je lise tout haut ?   8. Non,
merci, il faut que je me repose.   9. Il ne faut pas que vous
parliez trop.   10. Le docteur dit que ma maladie est très
grave.   11. Il ne faut pas que je lui désobéisse.   12. J'aimerais que vous reveniez souvent.   13. Je voudrais bien
vous soigner.   14. Vous voudriez bien guérir aussi vite
que possible.

LEÇON LII (p. 342)

I.   1. Êtes-vous content que je sois rétabli ?   2. Je suis
bien aise que vous ne soyez plus malade.   3. Je regrette que
mes parents soient inquiets.   4. C'est dommage que vous
soyez si loin.   5. C'est heureux que vous ayez un bon
médecin.   6. Il s'étonne que je n'aie pas de fièvre.   7. C'est
dommage que vous ayez un rhume.   8. Je m'étonne qu'il
n'y ait pas de pharmacien près d'ici.   9. Je suis content que
vous ayez un bon médecin.   10. Je regrette que mes parents
n'aient pas d'automobile.   11. Il faut que j'aille chez moi.
12. Voulez-vous que nous allions au cinéma ?   13. Je regrette que vous n'alliez pas mieux.   14. Je voudrais que
mes amis aillent avec vous.   15. Il faut que Jean aille faire
une commission.

II.   1. Je regrette que vous ayez été malade.   2. C'est
dommage que vous ayez eu la fièvre.   3. Nous sommes bien
contents qu'ils soient partis.   4. Êtes-vous content que je
sois venu ?   5. Il s'étonne que nous n'ayons pas lu ce livre.
6. Je suis bien aise qu'elles soient allées au cinéma.   7. Je
regrette que vous ayez attrapé un rhume.   8. Je m'étonne
qu'ils se soient serré la main.

III.   1. Je suis content que Paul se sente mieux.   2. Nous
regrettons qu'il ne soit pas complètement rétabli.   3. C'est
dommage que vous soyez enrhumé.   4. Je suis surpris que

le docteur ne soit pas ici. 5. Voulez-vous que j'aille le
chercher ?   6. Le docteur dit que vous êtes hors de danger.
7. Il est content que je n'aie plus de fièvre.   8. Je regrette
que mes parents soient inquiets. 9. Êtes-vous surpris
qu'on me permette de lire ?   10. Je suis content que vous
ayez lu *Les Misérables*. 11. Je voudrais bien aller au
cinéma avec vous. 12. C'est dommage que vous n'y
soyez pas allé la semaine dernière. 13. N'êtes-vous pas
content que vos amis soient venus vous voir ? 14. Ils
voudraient bien que vous soyez guéri le plus tôt possible.
15. Ils m'ont serré la main en disant : " Vous vous sentez
mieux, n'est-ce pas ? "

(p. 343)

II.   1. Je m'étonne que le médecin ne soit pas encore
venu. 2. C'est dommage que vous soyez malade. 3. Il
regrette que vous ne m'ayez pas accompagnée. 4. Êtes-
vous content que nous soyons allés au cinéma ? 5. Je suis
bien aise que ma mère n'ait pas vu cela.

LEÇON LIII (p. 347)

I.   1. Je veux que vous fassiez votre travail. 2. Il faut
que je fasse ma valise. 3. Craignez-vous qu'il fasse froid ?
4. Il a peur que nous ne fassions pas cela. 5. Il faut que
nous sachions où il est. 6. Je crains qu'ils ne sachent pas
où nous sommes. 7. Je doute fort qu'il sache mon nom.
8. Le professeur veut que vous sachiez votre leçon. 9. Je
doute qu'il veuille attraper ce train. 10. Il a peur que je
ne veuille pas partir. 11. J'ai peur qu'ils ne veuillent pas
venir. 12. Il craint que nous ne voulions pas patiner.

II.   1. C'est dommage que vous n'ayez pas vos patins.
2. Il faudra que je prenne le train de quatre heures. 3. J'ai
peur qu'il ne fasse très froid. 4. Je crains que vous n'ayez

froid. 5. J'ai peur qu'on ne vienne pas nous chercher.
6. Je veux que vous emportiez vos fourrures. 7. Il faut
que nous envoyions un télégramme à notre tante. 8. J'ai
peur qu'il ne manque le train. 9. Il faut que nous fassions
notre valise. 10. Je crains qu'il ne sache pas où nous
sommes. 11. Je crains qu'il n'y ait pas assez de neige pour
patiner. 12. Je doute qu'il veuille patiner.

III. 1. Je ne voudrais pas manquer le train. Je ne
voudrais pas que vous manquiez le train. 2. Il voudrait
m'accompagner. Il voudrait que je vous accompagne.
3. J'ai peur d'avoir froid. J'ai peur que vous n'ayez froid.
4. Est-ce que vous craignez d'avoir trop chaud ? Est-ce
que vous craignez qu'il ne fasse trop chaud ? 5. Je suis
bien aise de vous avoir rencontré. Je suis bien aise que
vous soyez venu. 6. Nous regrettons de ne pas vous avoir
vu. Nous regrettons que vous n'ayez pas été là. 7. Il
craint d'arriver trop tard. Il craint qu'il ne soit trop tard.
8. Êtes-vous content de recevoir tous ces cadeaux ? Êtes-
vous content qu'on ait pensé à vous ? 9. Elles désirent
être tranquilles. Elles désirent qu'on les laisse tranquilles.
10. Elles ont peur de ne pas avoir assez d'argent. Elles ont
peur qu'on ne veuille pas leur en donner.

IV. 1. Il faut que je prenne le train à huit heures et
demie. 2. Je doute que vous soyez prêt. 3. Avez-vous
peur de manquer le train ? 4. Je crains que le taxi n'arrive
pas à temps. 5. Je regrette que vous n'ayez pas envoyé un
télégramme à votre tante. 6. J'ai peur qu'elle ne sache pas
à quelle heure nous arriverons. 7. Je voudrais qu'ils
viennent nous chercher à la gare. 8. Ma tante a peur que
nous ayons froid. 9. Faut-il que nous prenions nos fourrures ? 10. Oui, j'ai peur qu'il ne fasse très froid. 11. Je
regrette que vous ne puissiez pas venir avec nous. 12. Je
voudrais bien aller en traîneau, mais j'ai peur qu'il n'y ait
pas assez de neige. 13. Je voudrais bien que vous fassiez
ma valise. 14. Je m'étonne que vous ne l'ayez pas encore

faite.   15. Voulez-vous que je vous envoie un télégramme ?
16. Non, mais veuillez me téléphoner.

(p. 349)

III.   1. Veuillez me prendre ma valise.   2. Je crains qu'il
ne tombe de la neige avant la nuit.   3. Il a peur que nous
n'arrivions pas à temps.   4. Il faut que vous mettiez des
vêtements chauds.   5. Je doute qu'il soit assez riche pour
acheter cette maison.

LEÇON LIV (p. 352)

I.   1. Quoique vous aimiez les bonbons, vous n'en aurez
pas.   2. Nous aurons des cadeaux pourvu que nous soyons
sages.   3. Je me conduirai bien afin que le père Noël mette
un jouet dans mon soulier.   4. Bien qu'en France nous
n'ayons pas cette coutume, on peut dire " Joyeux Noël ! "
5. Je vais au concert, à moins que je n'aille au théâtre.
6. Ma sœur se conduit bien afin qu'on lui offre une poupée.
7. J'ai écrit au père Noël pour qu'il m'envoie un train
mécanique.   8. Il faut que nous suspendions nos bas à
l'arbre de Noël.   9. Nous souhaiterons un joyeux Noël à
nos parents avant qu'ils se couchent.   10. Je serai content
pourvu que je reçoive un tambour.

II.   1. Je serai sage afin de recevoir un cadeau.   Je serai
sage afin que le père Noël m'apporte un cadeau.   2. Les
enfants se conduisent bien pour avoir des jouets à Noël.
Les enfants se conduisent bien pour que le père Noël leur
apporte des jouets.   3. Nous mettons nos souliers devant
la cheminée afin d'y trouver des bonbons.   Nous mettons
nos souliers devant la cheminée afin que le père Noël y
mette des bonbons.   4. Je souhaite un joyeux Noël à mes
parents avant d'aller me coucher.   Je souhaite un joyeux
Noël à mes parents avant qu'ils aillent se coucher.   5. Les

enfants suspendent leur bas à l'arbre de Noël avant de se coucher.   Les enfants suspendent leur bas à l'arbre de Noël avant qu'il (ne) fasse nuit.   6. J'écrirai à mes parents pour leur demander de l'argent.   J'écrirai à mes parents pour qu'ils m'envoient de l'argent.   7. Nous irons vous voir avant de partir.   Nous irons vous voir avant que mon frère (ne) parte.   8. Il me téléphonera afin de me faire savoir l'heure de son arrivée.   Il me téléphonera afin que je sache à quelle heure il arrivera.

IV.   1. Quoique nous n'ayons pas cette coutume en France, nous avons un arbre de Noël dans notre famille. 2. Nous y suspendons notre bas afin de recevoir des bonbons ou des cadeaux.   3. On donne des poupées aux petites filles afin qu'elles soient heureuses.   4. Naturellement tous les enfants reçoivent des jouets, pourvu qu'ils soient sages.   5. Nous allons à la messe de minuit, à moins que nous ne soyons malades.   6. Avant d'aller nous coucher, nous mettons nos souliers devant la cheminée. 7. Vous envoyez-vous des cartes de Noël ?   8. Non, nous ne nous envoyons pas de cartes.   9. Est-ce que les Français se font des cadeaux ?   10. Non, nous ne nous faisons pas de cadeaux.   11. Nous faisons le réveillon avant d'aller nous coucher.   12. Est-ce que vous vous dites : " Joyeux Noël " ?   13. Quoique ce ne soit pas la coutume, je souhaite un joyeux Noël à tous mes amis.   14. M'enverrez-vous une carte de Noël de France ?   15. Oui, pourvu que vous m'envoyiez un jouet anglais.

(p. 354)

II.   1. Il faut que nous offrions un cadeau à nos parents. 2. Les enfants auront des jouets pourvu qu'ils suspendent leur bas à l'arbre de Noël.   3. Il faut que j'aille à la messe de minuit.   4. Il faut que j'envoie une carte de Noël à mon ami.   5. Nous aurons des jouets pourvu que nous soyons sages. 6. Le père Noël ne lui donnera pas de cadeau à moins qu'il ne mette son soulier dans la cheminée.

III. 1. Nous aurons des cadeaux pourvu que nous soyons sages. 2. Vous n'aurez pas de bonbons à moins que vous ne promettiez d'être sages. 3. Nous n'avons pas reçu de cadeau, bien que nous ayons mis nos souliers dans la cheminée. 4. Je mettrai mon soulier dans la cheminée pour que le père Noël m'apporte des bonbons.

LEÇON LV (p. 358)

I. 1. Je donnerai. 2. J'achèterai. 3. J'appellerai. 4. Je partirai. 5. Je dirai. 6. Je ferai. 7. Je saurai. 8. Je serai. 9. J'aurai. 10. Je pourrai.

II. 1. J'écoute, nous écoutons. 2. Je finis, nous finissons. 3. Je vends, nous vendons. 4. Je reçois, nous recevons, ils reçoivent. 5. Je vais, nous allons, ils vont. 6. Je sais, nous savons, ils savent.

III. 1. Écoute, écoutons, écoutez. Finis, finissons, finissez. Vends, vendons, vendez. Reçois, recevons, recevez. Va, allons, allez. Sache, sachons, sachez.

2. J'écoutais. Je finissais. Je vendais. Je recevais. J'allais. Je savais.

3. Que j'écoute. Que je finisse. Que je vende. Que je reçoive, que nous recevions, qu'ils reçoivent. Que j'aille, que nous allions, qu'ils aillent. Que je sache.

4. J'ai écouté. J'ai fini. J'ai vendu. J'ai reçu. Je suis allé. J'ai su.

IV. 1. Nous n'allons pas au cinéma ce soir. 2. Irez-vous avec votre sœur ? 3. Il faut que ma sœur aille voir sa tante Amélie et sa cousine Marie. 4. Sont-elles déjà arrivées de France ? 5. Je ne le savais pas. 6. Je croyais qu'elles étaient encore à Paris. 7. Combien de temps y a-t-il qu'elles sont ici ? 8. Il y a trois semaines qu'elles sont ici. 9. Je serais venu hier si je n'étais pas allé chez le dentiste. 10. Si je suis libre demain je ferai une partie de cartes avec vous. 11. Très bien. Amenez votre sœur avec vous. 12. Demandons-lui si elle peut venir. 13. Je crains qu'elle ne soit pas libre. 14. Je crois qu'elle a engagé sa soirée (*ou* qu'elle est prise ce soir, *ou* demain soir). 15. En tout cas vous pouvez compter sur moi. Au revoir.

(p. 358)

I. 1. Je veux, nous voulons, ils veulent. 2. Je peux, nous pouvons, ils peuvent. 3. Je dois, nous devons, ils doivent. 4. Je mets, nous mettons. 5. Je connais, nous connaissons. 6. Je pars, nous partons. 7. Je viens, nous venons, ils viennent. 8. J'ouvre, nous ouvrons. 9. Je me lève, nous nous levons. 10. Je me souviens, nous nous souvenons, ils se souviennent.

II. 1. Je voulais. Je pouvais. Je devais. Je mettais. Je connaissais. Je partais. Je venais. J'ouvrais. Je me levais. Je me souvenais.

2. J'ai voulu. J'ai pu. J'ai dû. J'ai mis. J'ai connu. Je suis parti. Je suis venu. J'ai ouvert. Je me suis levé. Je me suis souvenu.

3. Je voulus. Je pus. Je dus. Je mis. Je connus. Je partis. Je vins. J'ouvris. Je me levai. Je me souvins.

4. Je voudrai. Je pourrai. Je devrai. Je mettrai. Je connaîtrai. Je partirai. Je viendrai. J'ouvrirai. Je me lèverai. Je me souviendrai.

LEÇON LVI (p. 363)

I. 1. En France il y a plusieurs provinces. 2. Saint-Malo est en Bretagne. 3. Chateaubriand est né à Saint-Malo. 4. Jacques Cartier a voyagé au Canada.

5. Beaucoup de Français sont allés au Canada.   6. On
parle françaîs à Québec.   7. Nous parlons français en
classe.   8. Il fait froid en hiver.   9. Il fait beau au printemps.   10. Nous demeurons aux États-Unis.

III.   1, Les pommes se vendent un franc le kilo.
2. Cette étoffe se vend dix francs le mètre.   3. Le café
coûte vingt francs le kilo.   4. Cet homme gagne cent francs
par jour.   5. Nous avons des leçons de français cinq fois
par semaine.

IV.   1. Le courage et le dévouement se trouvent souvent
chez les Bretons.   2. La Bretagne est une vieille province
française.   3. Saint-Malo est une ville située sur la Rance,
en Bretagne.   4. Jacques Cartier naquit à Saint-Malo.
5. C'est aussi la ville natale de Chateaubriand, grand
écrivain du dix-neuvième siècle.   6. Jacques Cartier prit
possession du Canada au nom de la France.   7. Le poème
de Browning intitulé *Hervé Riel* est célèbre en Angleterre,
au Canada, aux États-Unis et en France.   8. Ce jeune
marin sauva les navires français menacés par la flotte
anglaise.   9. L'amiral demanda : " Nous rendrons-nous ? "
10. Tous les hommes répondirent qu'ils ne se rendraient
pas.   11. Brûlez les navires et sauvez notre honneur.
12. Alors un marin breton aux yeux bleus mena les navires
dans la rivière.   13. Il les mena parmi les rochers et les
mit hors de danger.   14. La France lui doit une récompense
et il peut demander ce qu'il veut.   15. Il n'a demandé
qu'un jour de congé.

(p. 364)

I.   1. La Bretagne est une province.   2. La Rance est
une rivière.   3. Le Canada est en Amérique.   4. L'Angleterre est en Europe.   5. L'amiral Nelson est célèbre.
6. Bonjour, monsieur le docteur.   7. Comment va la petite
Marie ?   8. Elle s'est cassé le bras.

II.   1. J'irai à la messe dimanche prochain.   2. Je vais

à l'église tous les dimanches.   3. Nous avons cinq heures
d'anglais par semaine.   4. Ces mouchoirs valent trente
francs la douzaine.   5. Je vais dans les Alpes en été.   6. La
campagne anglaise est belle au printemps.   7. Je vous
invite à faire une promenade en bateau.   8. J'ai appris
cela en classe.

III.   1. Saint-Malo est en Bretagne.   2. Québec est au
Canada.   3. Chateaubriand est né à Saint-Malo.   4. Je
suis né à . . .   5. Jacques Cartier est un marin breton.
6. Robert Browning est un poète anglais du dix-neuvième
siècle.

LEÇON LVII (p. 368)

I.   1. Les enfants boivent du lait.   2. Ils ne boivent
pas de café.   3. Ils ont souvent des maladies.   4. Nous
buvons de l'eau.   5. Les chiens enragés ne boivent pas
d'eau.   6. Pasteur a fait beaucoup de découvertes.   7. Il a
sauvé la vie à des millions d'enfants.   8. Il était plein de
bonté, mais il avait des doutes.   9. Il a guéri non seulement
des hommes, mais bien des animaux.   10. Nous lui devons
de grandes découvertes.

II.   1. J'aime les chiens.   2. Ce sont des animaux intelligents.   3. La rage est très dangereuse.   4. Les chiens
enragés sont dangereux.   5. Les hommes admirent le
courage.   6. Cet ouvrier avait du courage.   7. La plupart
des savants ont de la bonté.   8. La bonté est une grande
vertu.   9. Maintenant les enfants boivent du lait sans
crainte.   10. Le lait est nécessaire aux enfants.

III.   1. Pasteur était un homme de génie.   2. Il a sauvé
la vie à beaucoup d'enfants.   3. C'est lui qui a découvert le
virus de la rage.   4. Beaucoup de savants se sont formés à
l'école de Pasteur.   5. L'enfant essaya de se défendre à
coups de bâton.

IV.   1. Nous devons un grand nombre de découvertes à

Pasteur.   2. Ce grand bienfaiteur de l'humanité vivait au dix-neuvième siècle.   3. Des millions d'enfants lui doivent la vie.   4. La maladie attaque les hommes, les animaux et les plantes.   5. Les chiens enragés sont des animaux dangereux.   6. Pasteur a guéri des hommes mordus par des animaux enragés.   7. Un enfant avait été mordu par un chien enragé en allant à l'école.   8. Un ouvrier avait chassé l'animal à coups de bâton.   9. Si Pasteur ne le guérissait pas, l'enfant mourrait certainement.   10. Mais pouvait-il guérir le petit garçon couvert de blessures ?   11. Des médecins et de savants professeurs étaient remplis de crainte.   12. L'homme de génie réussirait-il à guérir de la rage un être humain ?   13. La rage est une maladie atroce.   14. Pasteur ne doutait pas du succès de la guérison.   15. Des mois passèrent, et l'enfant n'avait pas la moindre trace de maladie.

(p. 369)

I.   1. Pasteur a fait beaucoup de découvertes.   2. Il a sauvé la vie à bien des enfants.   3. C'est un homme de génie.   4. Les animaux enragés sont dangereux.   5. La rage est une maladie atroce.   6. Pasteur avait de la bonté. 7. Il était plein de dévouement.   8. Nous admirons le courage.   9. Il faut avoir du courage.   10. Pasteur aimait l'humanité.

III.   1. Pasteur a découvert le virus de la rage.   2. La rage est une maladie atroce.   3. Pasteur a sauvé la vie à bien des hommes.   4. L'enfant avait été mordu par un chien enragé en allant à l'école.   5. L'ouvrier avait réussi à chasser l'animal à coups de bâton.   6. Pasteur était rempli de crainte parce que c'était la première fois qu'il essayait de guérir un être humain de la rage.

LEÇON LVIII (p. 375)

I. 1. Paris est une ville très ancienne. 2. Il y a beaucoup de vieilles maisons. 3. Il y a aussi des maisons
neuves. 4. La science est une propriété publique. 5. On
fait toujours de nouvelles découvertes. 6. Les recherches
sont longues. 7. Madame Curie est travailleuse. 8. Une
légère quantité de radium est un trésor. 9. La physique
est une belle science. 10. Ce n'est pas une fausse science.
11. Toutes les femmes ne sont pas pareilles. 12. Elles
sont quelquefois sottes et frivoles. 13. Elles sont aussi
douces et dévouées. 14. Les hommes sont quelquefois cruels et paresseux. 15. Ils sont aussi actifs et
généreux.

II. (a) 1. Le radium est la plus belle découverte de
notre époque. 2. C'est le plus riche trésor de l'humanité.
3. Madame Curie est la femme la plus généreuse et la plus
dévouée. 4. Sa découverte la plus importante est le radium.
5. C'est un des métaux les plus utiles.

(b) 1. Le radium est plus cher que l'or. 2. La physique
est plus utile que les mathématiques. 3. Les découvertes
de Madame Curie sont aussi importantes que celles de
Pasteur. 4. Les travaux de Pierre Curie sont aussi
célèbres que ceux de sa femme. 5. La femme américaine
n'est pas si vive que la femme française.

III. 1. Madame Curie suivit des cours à la Sorbonne.
2. Je suis des cours au lycée. 3. L'année dernière j'ai suivi
un cours de physique. 4. L'année prochaine je suivrai un
cours d'histoire. 5. Quand j'étais en France je suivais des
cours de français.

IV. 1. Le radium est une découverte merveilleuse.
2. Une jeune Polonaise suivait des cours à la Sorbonne.
3. Elle travaillait près d'un jeune homme actif et travail-

leur. 4. Elle devint bientôt sa femme dévouée. 5. Avec
son mari, elle transportait et maniait de grosses quantités
de matière. 6. Elle a fait la découverte la plus importante
de notre époque. 7. Cette légère quantité de radium valait
des millions. 8. C'était sa propriété personnelle. 9. Mais
elle était généreuse, et elle offrit ce trésor inestimable à
la France. 10. Son laboratoire était vieux et étroit.
11. Maintenant elle poursuit ses recherches avec de
nouveaux appareils. 12. Quand elle est allée aux États-
Unis, elle a reçu du Président une grosse quantité de radium.
13. C'était un cadeau magnifique que lui offraient les
Américaines. 14. Ce gramme de radium lui permettra
de poursuivre ses travaux. 15. Les découvertes de la
science deviennent de plus en plus importantes. 16. Elles
sont plus utiles qu'on ne croit.

(p. 376)

I. 1. Ces hommes sont généreux, énergiques, actifs,
jaloux, vifs, cruels, dévoués, légers, paresseux, flatteurs,
menteurs, vieux. 2. Cette femme est généreuse, énergique,
active, jalouse, vive, cruelle, dévouée, légère, paresseuse,
flatteuse, menteuse, vieille. 3. Ces femmes sont géné-
reuses, énergiques, actives, jalouses, vives, cruelles, dévouées, légères, paresseuses, flatteuses, menteuses, vieilles.
4. Cette découverte est fausse, publique, nouvelle, ancienne,
inestimable, belle, utile, importante, précieuse, personnelle, merveilleuse. 5. Ces trésors sont faux, publics, nouveaux, anciens, inestimables, beaux, utiles, importants,
précieux, personnels, merveilleux. 6. Nos propriétés sont
fausses, publiques, nouvelles, anciennes, inestimables, belles,
utiles, importantes, précieuses, personnelles, merveilleuses.
7. Cette mode est pareille, bonne, sotte, meilleure, gentille, la
dernière. 8. Ces fleurs sont chères, douces, grosses, longues,
sèches, blanches, fraîches.

II.   1. Ce métal est plus précieux que l'or, moins précieux que l'or, aussi précieux que l'or.   2. Cet appareil est meilleur que le nôtre, moins bon que le nôtre, aussi bon que le nôtre.   3. Ces enfants travaillent mieux que nous, moins bien que nous, aussi bien que nous.   4. Ces cadeaux sont plus beaux que les nôtres, moins beaux que les nôtres, aussi beaux que les nôtres.

III.   1. Le radium et l'or sont les métaux les plus précieux.   2. Le radium est la meilleure découverte de notre époque.   3. Madame Curie est la femme la plus généreuse et la plus dévouée.   4. Elle a offert les trésors les plus précieux et les plus utiles à l'humanité.   5. C'est la femme la plus active et la plus énergique.

LEÇON LIX (p. 381)

I.   1. Elle l'aimait.   2. Elle ne les aimait pas.   3. Elle lui écrivait souvent.   4. Elle lui en a écrit beaucoup. 5. Il en écrivait.   6. Il les leur montrait.   7. On lui en apportait.   8. Qu'est-ce que vous en pensez?   9. Je ne l'ai pas lu attentivement.   10. Je n'y ai pas fait attention. 11. Rendez-le-lui.   12. Il ne le lui a pas rendu.

II.   1. Je m'en moque.   2. Elle se moquait d'eux. 3. Ne vous moquez pas d'elles.   4. Qu'est-ce que vous en pensez?   5. Qu'est-ce que vous pensez de lui?   6. Est-ce que vous pensez à lui?   7. Est-ce que vous y pensez encore?   8. Je pense parfois à eux.   9. Je n'en ai pas besoin.   10. Nous n'avons pas besoin de lui.   11. Ne parlez pas devant eux.   12. Parlez-leur.   13. Allons chez elle.

III.   1. Il n'y a pas moyen d'écrire avec cette plume. 2. Faites attention : j'entends une automobile.   3. Ce qu'on fait de bon cœur, on le fait généralement bien. 4. Mon frère est arrivé.   Je le sais, je viens de le rencontrer.   5. Je parlais sérieusement, mais lui m'a ri au nez.

IV. 1. Elle nous a raconté une anecdote spirituelle et nous avons ri. 2. Ce courtisan était un imbécile et elle se moqua de lui. 3. Le roi lui montra un poème. 4. Le flatteur dit qu'il n'en avait jamais vu d'aussi bête. 5. Celui qui l'a écrit n'a pas beaucoup d'esprit. 6. Je le sais et je le lui dirai. 7. Souriez, ne riez pas. 8. Est-ce que vous vous moquez de moi ? 9. Je suis ravi que vous m'ayez dit la vérité. 10. C'est moi qui l'ai écrit. 11. Vous êtes un sot, mais moi je ne le suis pas. 12. Je ne vous le rendrai pas. 13. Pourquoi n'y avez-vous pas fait attention ? 14. Vous m'avez dit ce que vous en pensiez. 15. Chacun doit compter sur soi.

(p. 382)

I. 1. Rendez-le-moi. 2. Rendons-le-lui. 3. Ne le leur dites pas. 4. Je ne le lui ai pas dit. 5. Ne comptez pas sur eux. 6. Qu'est-ce que vous en pensez ? 7. Je pense souvent à lui. 8. Racontez-la-nous. 9. Est-ce que vous ne les aimez pas ? 10. Je ne l'ai pas lu attentivement. 11. Il s'en moque. 12. Nous nous moquons d'eux.

II. 1. Je ne la lui ai pas racontée. 2 Donnez-les-lui. 3. Nous leur en apporterons. 4. Est-ce que vous lui en avez offert ? 5. Je ne lui en ai pas parlé. 6. Je la lui ai demandée. 7. Nous ne leur en avons pas parlé. 8. Ne la leur dites pas.

III. 1. Pensez-y. 2. N'y pensons pas. 3. Qu'est-ce que vous en pensez ? 4. Je pense souvent à eux. 5. Faites-y attention. 6. N'y faites pas attention. 7. Ne faisons pas attention à elle. 8. Je m'en moque. 9. Est-ce qu'il se moque d'eux ? 10. Je n'en ai pas besoin.

IV. 1. J'irai jusqu'au bout du monde s'il le faut. 2. Vous n'êtes pas riche, je le sais, c'est pourquoi je ne vous demande rien. 3. Il a beau me l'affirmer, je ne le crois pas. 4. Est-il vrai que vous partez en France ? Mais oui,

je pars demain.   5. N'avez-vous pas vu mon père ? — Mais
non, je ne l'ai pas aperçu.   6. Êtes-vous le professeur ? —
Oui, je le suis.

LEÇON LX (p. 387)

I.   1. Il faut se décider.   2. Cet individu ne peut pas se
décider.   3. Je ne peux jamais me décider à partir.   4. Il
faut que nous nous décidions.   5. Mes amis se proposent de
faire une visite.   6. Ils s'imaginent que j'irai avec eux.
7. Je ne peux pas me débarrasser de mes voisins.   8. Ils se
rendent insupportables.   9. Je m'en vais.   10 Allez-vous-
en.   11. Il ne faut pas trop penser à soi.   12. Cet homme
parle toujours de lui.

II.   1. Allez me le chercher.   2. Je vais vous le chercher.
3. Je le lui rends.   4. Il m'en a donné.   5. Qu'est-ce que
vous en ferez ?   6. Vous n'en avez pas besoin.   7. Donnez-
les-moi.   8. Ne les leur donnez pas.   9. Demandez-le-lui.
10. Ne le lui demandez pas.   11. Il faut vous débarrasser
de lui.   12. N'y pensez pas.

IV.   1. J'ai l'intention de faire une visite à mes amis.
2. Si vous voulez venir avec moi, décidez-vous.   3. J'aurai
besoin de mon parapluie ; allez me le chercher.   4. Il ne
pleut pas ; vous n'en aurez pas besoin.   5. Vous ne
l'emporterez pas ; remettez-le dans le vestibule.   6. Si
vous avez peur de vous mouiller, emportez-le.   7. Qu'en
ferez-vous s'il ne pleut pas ?   8. Allez-vous-en et laissez-
moi tranquille.   9. Allons-nous-en et ils nous laisseront
tranquilles.   10. Il y a des gens qui ne peuvent pas
s'imaginer qu'ils sont insupportables.   11. On ne peut pas
se débarrasser d'eux.   12. Ils disent : " Il faut que nous
partions."   13. Mais ils hésitent et ils ne partent jamais.
14. Ils se rendent insupportables.   15. Chacun se dit :
" Chacun pour soi."

(p. 388)

I. 1. Il faut que je me décide. 2. Vous êtes-vous décidé ? 3. Il ne peut jamais se décider. 4. Quand se décideront-ils ? 5. Décidez-vous. 6. Je me demande ce qu'il fait. 7. Il se demande s'il va pleuvoir. 8. Il faut se donner du courage. 9. On pense toujours à soi. 10. Ils sont contents d'eux.

III. 1. Donnez-le lui. 2. Ne leur en donnez pas. 3. Ne le laissez pas chez eux. 4. Elle le lui a dit. 5. Pourquoi le lui avez-vous dit ? 6. Le voilà avec elle.

IV. 1. Allez me chercher le parapluie qui est dans le vestibule. 2. J'ai envie d'aller faire un petit voyage. 3. Je ne m'en irai pas avant qu'il (ne) soit rentré. 4. Je ne demande qu'une chose, c'est qu'on me laisse tranquille. 5. Si vous avez besoin d'argent, écrivez-moi.

LEÇON LXI (p. 393)

I. 1. Ses fables sont incomparables. 2. Leur charme est unique. 3. Sa grâce et son esprit charment les enfants. 4. La Cigale et la Fourmi est leur fable favorite. 5. C'est aussi la mienne. 6. Nous aimons la cigale, bien que son défaut soit la paresse. 7. Son insouciance est aussi un défaut. 8. Ces défauts sont aussi les nôtres. 9. La fourmi travaille beaucoup, mais je n'aime pas son avarice. 10. J'admire son travail. 11. Ses économies sont plus grandes que les miennes. 12. Mon travail n'est pas aussi bon que le sien. 13. La vie de la cigale est plus intéressante que la sienne. 14. La vie des poètes est plus intéressante que la nôtre. 15. Leurs provisions sont plus grandes que les siennes.

II. 1. Asseyons-nous sous cet arbre. 2. Non, ne nous asseyons pas sous cet arbre-ci, asseyons-nous sous celui-là.

3. **Lisez-moi** cette fable.   4. Laquelle ?   Celle de la Cigale et la Fourmi ?   5. Oui, lisez-moi celle-ci.   6. Quels sont ces insectes-ci ?   7. Ceux-ci sont des fourmis, ceux-là sont des cigales.   8. Qu'est-ce que c'est que cela ?   9. Ce sont des fourmis.   10. Les défauts de la cigale sont aussi ceux de la Fontaine.   11. Celle-là passait son temps à chanter.   12. Celui-ci passait son temps à regarder les insectes.   13. Grâce à cela, ses fables sont si vraies.   14. Les fables de la Fontaine ont plus de charme que celles des autres écrivains.   15. A cause de cela, tous les enfants les apprennent.

III.   (*a*) 1. Je m'assieds (m'assois) toujours pendant la leçon.   2. Le professeur ne s'assied (s'assoit) jamais.   3. Les élèves s'asseyent (s'assoient) sur des chaises.   4. Nous ne nous asseyons (assoyons) pas sur le plancher.   5. Le professeur dit aux élèves de s'asseoir.

(*b*) 1. Ne nous asseyons pas.   2. Pourquoi ne s'assoit-il pas ?   3. Pourquoi ne s'est-elle pas assise à côté de vous ?   4. Ne vous asseyez pas sur cette chaise.   5. Pourquoi ne vous asseyez-vous pas ?

(*c*) 1. Je me suis assis sous un arbre.   2 Elle s'est assise à côté de moi.   3. Ils se sont assis à l'ombre.   4. Pourquoi vous êtes-vous assis ?   5. Nous ne nous sommes pas assis.

IV.   1. Asseyons-nous à l'ombre de cet arbre.   2. Asseyez-vous sous cet arbre-là et je m'assiérai sous celui-ci.   3. Maintenant nous sommes assis et nous avons notre livre à la main.   4. Ne lisez pas cette fable-là, lisez celle-ci.   5. C'est un vrai chef-d'œuvre.   6. C'est ma fable favorite.   7. La fourmi a ses qualités, mais la cigale a aussi les siennes.   8. Celles de la cigale ont un charme réel.   9. Ses défauts sont ceux d'un poète.   10. Je m'asseyais en plein air et je passais mon temps à regarder ces insectes.   11. Leur vie est aussi intéressante que la nôtre.   12. Tous les animaux peuvent gagner leur vie, mais les poètes sont incapables de gagner la leur.   13. Grâce à leur paresse et à leur insouciance, quelquefois ils n'ont rien à manger. 14. Ils vont chez leurs voisins et ils prient ceux-ci de leur prêter des provisions. 15. Ils promettent de rendre tout cela au printemps, mais au lieu de cela, ils écrivent des chefs-d'œuvre, et nous nous en réjouissons.

(p. 395)

I. 1. Son défaut. 2. Son défaut. 3. Son défaut. 4. Sa paresse. 5. Sa paresse. 6. Sa paresse. 7. Ses défauts. 8. Ses défauts. 9. Ses défauts. 10. Leur fable favorite. 11. Leurs fables favorites. 12. Leur charme.

II. 1. Le mien est rouge. 2. Quelle est la couleur du vôtre ? 3. J'ai envoyé un cadeau au mien. 4. Jeanne a-t-elle envoyé un cadeau au sien ? 5. La mienne est partie. 6. Est-ce que la sienne est partie ? 7. Les siens sont à la maison. 8. Est-ce que Pierre à écrit aux siens ? 9. Est-ce que ces enfants ont écrit au leur ? 10. Elles ont écrit aux leurs.

III. 1. Qui est cet homme ? 2. Connaissez-vous ce jeune homme ? 3. Je connais cette femme. 4. Parlez à ces enfants. 5. Regardez cet(te) enfant. 6. J'aime ces arbres. 7. Je n'aime pas cette fleur. 8. Aimez-vous ces fleurs ?

IV. 1. Je connais celui-ci. 2. Je ne connais pas ceux-là. 3. Connaissez-vous celle-ci ? 4. Je connais celles-là. 5. Ne lisez pas celle-ci. 6. Lisez ceux-là.

LEÇON LXII (p. 400)

I. 1. Molière est un auteur qu'on lit toujours. 2. *Le Bourgeois Gentilhomme* est une comédie qui nous fait rire. 3. Il y a une pièce dont le titre est *Tartufe*. 4. C'est une pièce dans laquelle Molière se moque des hypocrites. 5. Tartufe est un homme dont Molière a exposé l'hypocrisie. 6. Ce que nous admirons dans ses œuvres c'est la vérité,

7. Il a fait tout ce qu'il a pu pour exposer le vice. 8. Il ne se moque pas de tous les médecins, mais seulement de ceux qui sont ignorants. 9. Il ne se moque pas de toutes les femmes, mais seulement de celles qui sont pédantes. 10. Le ridicule est une arme dont il se sert souvent. 11. C'est un auteur pour qui le rire est une arme puissante. 12. Le roi, chez qui il allait souvent, l'aimait beaucoup. 13. Molière était très amusant dans les rôles qu'il jouait. 14. Il jouait dans une représentation pendant laquelle il est tombé malade. 15. Tous ceux qui lisent Molière sont bien récompensés de leur peine.

II. 1. La comédie que nous avons vue était très amusante. 2. Les acteurs ont très bien joué leur rôle. 3. Cette pièce a été écrite par un auteur célèbre. 4. Il représente les conditions sociales qu'il a observées. 5. Ceux dont il a exposé le ridicule étaient offensés. 6. Les spectateurs ont beaucoup ri. 7. Ils se sont bien amusés. 8. Je n'ai pas lu la pièce dont vous m'avez parlé. 9. Celle que j'ai lue est excellente. 10. Votre amie s'est donné la peine de la lire aussi. 11. Elle en a été bien récompensée. 12. Nos amies se sont établies à la campagne.

III. 1. Molière est un auteur dont je vous ai souvent parlé. 2. C'est un auteur dramatique dont les œuvres sont très célèbres. 3. Une pièce que tout le monde a vue s'appelle les *Femmes Savantes*. 4. C'est une comédie dans laquelle Molière se moque des femmes pédantes. 5. Tartufe est un hypocrite dont il a exposé les vices (*ou*, tourné les vices en ridicule). 6. Ceux qu'il avait offensés étaient les hypocrites de la cour. 7. Ils firent tout ce qu'ils purent pour interdire la pièce de Molière. 8. Le roi, dont il était l'ami, ne les écouta pas. 9. Dans le *Malade imaginaire*, ceux qu'il a couverts de ridicule sont les médecins ignorants. 10. Ceux-ci ne manquaient pas et Molière les avait observés. 11. Il tomba malade pendant une représentation dans laquelle il jouait le rôle du Malade. 12. Ce que nous admirons dans ses comédies, c'est la vérité de ses caractères. 13. Nous admirons aussi la vie qu'il leur a donnée. 14. Leurs noms se sont établis dans la langue française. 15. Celui qui a pris la peine de lire les œuvres de Molière a été bien récompensé.

(p. 402)

I. 1. Avez-vous vu la pièce dont je parlais ? 2. C'est une comédie qui est très amusante. 3. Est-ce la pièce dans laquelle Paul a joué un rôle ? 4. Paul est le jeune homme que nous avons rencontré hier. 5. Son père est un auteur dont on a joué beaucoup de pièces. 6. Avez-vous lu ce livre dont vous avez mentionné le titre ? 7. Oui, c'est un livre dans lequel on se moque des femmes pédantes. 8. L'auteur connaît bien les conditions sociales qu'il expose. 9. Tout ce que vous dites est vrai. 10. Dites-moi tout ce dont vous avez besoin.

II. 1. Est-ce que vous aimez la pièce que vous venez de lire ? 2. Je n'aime pas l'acteur qui joue le rôle du Malade. 3. Molière est un auteur dont les pièces sont toujours amusantes. 4. *Tartufe* est une pièce dans laquelle Molière a tourné les hypocrites en ridicule. 5. Tartufe est un homme qui n'aime pas la vérité. 6. Les médecins dont il se moque sont ceux qui sont ignorants. 7. Les pièces que j'aime le mieux sont celles qui sont amusantes. 8. J'ai fait tout ce que je pouvais.

III. 1. Molière est un auteur français du dix-septième siècle. 2. Dans les *Femmes Savantes* il se moque des pédantes. 3. Le *Bourgeois Gentilhomme* est une comédie très amusante. 4. Tartufe est un hypocrite. 5. Dans le *Malade imaginaire* Molière se moque des médecins ignorants. 6. Molière est mort pendant une représentation du *Malade imaginaire* dans laquelle il jouait le rôle du Malade.

LEÇON LXIII (p. 407)

I.   1. Qui est Rodrigue ?   2. Qui aime-t-il ?   3. De qui est-il le fils ?   4. Qu'est-ce qui est arrivé à son père ?   5. Contre qui doit-il se battre ?   6. Que fera-t-il ?   7. Que dira Chimène ?   8. Qu'est-ce qui le fait souffrir ?   9. De quoi s'agit-il dans cette tragédie ?   10. Entre quoi le héros doit-il choisir ?   11. A cause de quoi les jeunes gens préfèrent-ils Corneille ?

II.   1. Qu'est-ce que c'est que *le Cid* ?   2. De quoi s'agit-il dans cette pièce ?   3. Qui est Rodrigue ?   4. Que doit-il faire ?   5. Qu'est-ce qui est arrivé à son père ?   6. Qui aime-t-il ?   7. Qu'arrivera-t-il s'il venge son père ?   8. Qu'est-ce qui le fait souffrir ?   9. Que fait-il ?   10. Que doit faire Chimène ?

III.   1. Quelle est la plus belle tragédie de Corneille ?   2. Quels sont les deux grands auteurs tragiques ?   3. Lequel préférez-vous, Racine ou Corneille ?   4. De quel pays le Cid est-il le héros ?   5. Qui a offensé le père de Rodrigue ?   6. Qui Chimène aime-t-elle ?   7. Pour lequel des deux la situation est-elle tragique ?   8. A quel sentiment Rodrigue doit-il obéir ?   9. Qu'est-ce qui arrivera s'il tue le père de Chimène ?   10. A qui Chimène demande-t-elle justice ?   11. Qui épousera-t-elle ?   12. Que pensez-vous de cette tragédie ?

IV.   1. Quelle tragédie de Corneille avez-vous vue ?   2. De quoi s'y agit-il ?   3. Lequel de ces auteurs dramatiques est le plus grand ?   4. A qui donnez-vous la préférence ?   5. Qui est Chimène.   6. De qui est-elle la fille ?   7. Qui aime-t-elle ?   8. Qui a tué son père ?   9. Qu'est-ce qui est arrivé à Rodrigue ?   10. Entre quoi doit-il choisir ?   11. Que fera-t-il ?   12. Quelle situation tragique !   13. Son amour pour Chimène est ce qui le fait souffrir.   14. Quel est son devoir ?   15. Contre qui doit-il se battre ?

16. Savez-vous ce qui est arrivé? 17. Qu'est-ce qu'une tragédie? 18. Quoi (*ou*, Comment)? Que dites-vous? 19. C'est une pièce dans laquelle il est question d'une lutte dans l'âme du héros. 20. Les pièces que je préfère sont celles qui me font rire.

(p. 408)

I. 1. De quoi parlez-vous? 2. De quelle tragédie parlez-vous? 3. Qu'est-ce que vous en pensez? 4. Qui est l'auteur de cette pièce? 5. Quelle belle tragédie! 6. Qu'est-ce qui est plus beau que le Cid (*ou*, Qu'y a-t-il de plus beau que le Cid? 7. De quoi s'agit-il dans *le Cid*? 8. Quel écrivain préférez-vous à Racine? 9. Lequel de ces écrivains préférez-vous? 10. Laquelle de ces tragédies préférez-vous?

II. 1. Qu'est-ce qui fait souffrir Rodrigue? 2. Qui est-ce qui a offensé son père? 3. Qu'est-ce que c'est qu'une tragédie? 4. Quel écrivain préférez-vous? 5. Quelle tragédie préférez-vous? 6. Lequel de ces auteurs préférez-vous? 7. Laquelle de ses œuvres avez-vous lue? 8. Quoi? Que dites-vous?

IV. 1. De quoi s'agit-il dans cette tragédie? 2. Qui est Rodrigue? 3. Qui aime-t-il? 4. Contre qui se bat-il? 5. Quel est le devoir de Chimène? 6. Quelles pièces préférez-vous?

LEÇON LXIV (p. 413)

I. 1. Quand je saurai le français, je comprendrai ce poème. 2. Si vous savez le français, vous comprendrez ces vers. 3. S'il sait le français, il comprendra ce que je dis. 4. Si nous avions su le français, nous aurions compris ce qu'il disait. 5. Lisez ce livre lorsque vous aurez le temps. 6. Je le lirai si j'ai le temps. 7. Si j'avais le temps je le lirais. 8. Nous l'aurions lu si nous avions eu le temps.

9. Si vous allez au bord du lac, vous aimerez ce paysage. 10. S'ils allaient au bord du lac, ils aimeraient ce paysage. 11. Quand vous irez au bord du lac, vous aimerez ce paysage. 12. Si j'étais à la campagne, je serais heureux. 13. Quand elle sera à la campagne, elle sera heureuse. 14. Si nous avions été à la campagne, nous aurions été heureux.

II. 1. Depuis quand êtes-vous ici ? 2. Il y a huit jours que nous sommes arrivés. 3. Combien de temps y a-t-il que vous avez quitté Paris ? 4. Voilà un mois que je n'en ai plus reçu de nouvelles. 5. Voudriez-vous bien vous taire ? 6. Je voudrais bien aller à la campagne. 7. Auriez-vous la bonté de lui donner cette lettre ? 8. Nous devrions partir de bonne heure. 9. Je devrais lui demander de venir demain matin. 10. Vous auriez dû rester encore un mois à la campagne.

III. 1. Si je savais le français, je lirais les poèmes de Lamartine. 2. J'aimerais connaître ce poète. 3. Nous devrions au moins étudier *le Lac*. 4. Quand nous serons au bord du lac, nous le lirons à haute voix. 5. S'il fait clair de lune nous irons à la campagne ce soir. 6. Si mon amie n'était pas malade, elle viendrait avec nous. 7. Depuis combien de temps est-elle malade ? 8. Il y a plus de huit jours qu'elle est malade. 9. Serait-elle (*ou*, Se peut-il qu'elle soit) gravement malade ? 10. Si je vous expliquais ces vers, les comprendriez-vous ? 11. Le poète aurait-il été heureux si elle avait été près de lui ? 12. Tant qu'il vivra il ne l'oubliera pas. 13. Si seulement le temps n'était pas si court ! 14. Est-ce que la forêt, les montagnes et les arbres se souviendront de cette heure-là ? 15. Si les hommes l'oublient, la nature conservera le souvenir de notre bonheur.

(p. 414)

I. 1. Quand j'irai au bord du lac, je lirai ce poème. 2. Si nous allons au bord du lac . . . 3. Dès que vous irez au bord du lac ... 4. ... s'il fait clair de lune. 5. ... s'il faisait clair de lune. 6. ... s'il avait fait clair de lune. 7. Si vous le voyez, ... 8. Quand vous le verrez ... 9. ... quand elle viendra. 10. ... si elle venait.

III. 1. J'aime à me promener au clair de lune. 2. Le poète allait rêver au bord du lac. 3. Il regrettait que celle qu'il aimait ne soit pas à côté de lui. 4. Quand vous serez au bord du lac, lisez le poème à haute voix. 5. Je me souviendrai toujours de cette heure délicieuse. 6. Nous avons appris par cœur plusieurs poèmes de Lamartine.

LEÇON LXV (p. 419)

I. 1. Victor Hugo avait neuf ans quand il est allé en Espagne. 2. Napoléon était alors empereur. 3. Après un an il vint à Paris. 4. Il ne voulait pas être soldat. 5. Il aimait mieux écrire des vers. 6. C'est lui qui a écrit *Les Misérables*. 7. J'ai lu ce roman. 8. Notre professeur nous en a parlé hier. 9. Il nous a dit que c'était un chef-d'œuvre. 10. Jean Valjean haïssait la société. 11. L'homme était devenu méchant. 12. Il souffrait de l'injustice des hommes. 13. Il était heureux avec Cosette. 14. Cosette était une pauvre orpheline. 15. Il l'avait élevée comme sa fille. 16. Cosette avait grandi. 17. Elle avait épousé un bon jeune homme.

II. 1. Victor Hugo est né à Besançon. 2. Son père était général. 3. Il est allé en Espagne. 4. Il a reçu son éducation à Paris. 5. Il ne voulait pas être soldat. 6. Il voulait être poète. 7. Quand il avait seize ans, il avait déjà écrit des poèmes remarquables. 8. Il est devenu le plus grand poète de la France. 9. Il a écrit beaucoup de drames et de romans. 10. J'ai lu son roman *Les Misérables*. 11. Jean Valjean était un homme très pauvre. 12. On l'a mis en prison parce qu'il avait volé un pain. 13. Il a été converti

par un bon prêtre. 14. Cosette était une pauvre orpheline.
15. Elle a épousé un bon jeune homme.

III. 1. Je suis né en France dans une très vieille cité.
2. Quand j'eus six ans j'allai à l'école. 3. Mon père était
soldat. 4. Je voulais aussi être soldat. 5. J'étudiais les
mathématiques, que j'aimais beaucoup. 6. Il y avait deux
ans que j'étais à Paris quand mon père est allé en Italie.
7. J'allai avec lui et je reçus mon éducation (*ou*, je fis mes
études) dans ce pays. 8. Mon père était très riche. 9. Mais
un jour un misérable lui vola tout son argent. 10. On a
arrêté le voleur et on l'a mis en prison. 11. Nous étions
alors très pauvres et nous avons beaucoup souffert. 12. Je
haïssais l'homme qui nous avait volés. 13. Mais je lui
ai pardonné parce qu'il s'est converti. 14. Autrefois il
était méchant, mais il est devenu un brave homme. 15. Il
nous a rendu notre argent et je ne le hais plus maintenant.

(p. 420)

I. 1. Victor Hugo est né à Besançon. 2. Je suis né à...
3. Victor Hugo est allé en Espagne lorsqu'il était encore
enfant. 4. Non, je n'ai jamais été en Espagne. 5. Il a
reçu son éducation à Paris. 6. Le général Hugo voulait
faire de son fils un soldat. 7. Victor Hugo voulait être
poète. 8. Il est devenu le plus grand poète de la France.
9. Il a écrit des poèmes, des pièces de théâtre et des romans.
10. Son roman le plus célèbre est *Les Misérables*.

III. 1. Jean Valjean vola un pain pour sa famille qui
mourait de faim. 2. On l'arrêta et on le mit en prison.
3. Il haïssait la société parce qu'il était malheureux. 4. Il
était devenu méchant. 5. Mais il fut converti par un bon
prêtre. 6. Après qu'il eut été converti il eut encore beaucoup d'aventures extraordinaires. 7. La petite Cosette
était une pauvre orpheline. 8. Elle grandit avec le temps.
9. Lorsqu'elle fut femme elle épousa un brave jeune homme.

10. Jean Valjean mourut en pardonnant à la société qui l'avait tant fait souffrir.

LEÇON LXVI (p. 426)

I. 1. Le chant national de la France s'appelle *la Marseillaise*. 2. La France s'appelait autrefois la Gaule. 3. J'écrirai une chanson qui s'appellera Chanson sans Paroles. 4. Maintenant je me lève généralement à six heures. 5. Autrefois je me levais à sept heures. 6. Hier je me suis levé à huit heures. 7. Quand il faisait beau, nous nous réunissions dans le jardin. 8. S'il fait froid demain nous nous réunirons dans le salon. 9. Quand mon ami est à la maison, nous nous réunissons dans sa chambre. 10. Beaucoup de jeunes gens se joignent tous les jours à cette société. 11. Quand je serai grand je me joindrai à eux. 12. Je ne me rappelle pas votre nom. 13. Vous rappelez-vous les paroles de cette chanson ? 14. Je me souviendrai toute ma vie de mon voyage en France. 15. Il se souvient encore de son premier voyage en Italie.

II. 1. Elle a mis cette chanson sur le piano. 2. Quelle est la chanson qu'elle a mise sur le piano ? 3. Elle s'est mise à chanter la chanson. 4. Ils ont écrit des vers. 5. Montrez-moi les vers qu'ils ont écrits. 6. Ils se sont écrit des vers. 7. Nous avons trouvé deux chambres. 8. Nous les avons trouvées propres. 9. Nous nous sommes trouvés ensemble à l'hôtel. 10. Elles ont perdu leurs amies. 11. Voici les amies qu'elles ont perdues. 12. Elles se sont perdues dans la ville. 13. Ma mère est descendue au salon. 14. Elle a entendu la musique. 15. Elle a été transportée d'enthousiasme.

III. 1. Je me suis demandé qui était l'auteur de la *Marseillaise*. 2. Comment s'appelait-il ? 3. Où était-il lorsqu'il a écrit cette chanson ? 4. Hier soir, quand je suis rentré à la maison, ma sœur s'est mise à chanter. 5. La

musique qu'elle chantait était belle et entraînante. 6. Lorsqu'elle s'est levée je lui ai demandé le nom de cette musique.
7. Elle ne se rappelait pas comment cela s'appelait. 8. Je
me souviendrai toujours du refrain. 9. Toute ma famille
s'était réunie dans le salon. 10. Nous venions de dîner.
11. Nous nous sommes tous levés et nous nous sommes mis
à chanter ensemble. 12. Après cela nous nous sommes
promenés dans le jardin. 13. Nous nous sommes dit
bonsoir et nous sommes allés nous coucher. 14. Quand je
me suis réveillé il faisait grand jour. 15. Je suis descendu
et je me suis précipité dans la salle à manger.

(p. 428)

II. 1. J'aime la chanson qu'elle a chantée. 2. Elle a
très bien chanté. 3. Elles sont descendues au salon.
4. Elles ont descendu leur valise. 5. Où a-t-il mis ses
livres ? 6. Il les a mis sur le piano. 7. Sa mère s'est mise
à chanter. 8. Ils ont écrit des lettres. 9. Voici les lettres
qu'ils ont écrites. 10. Ils se sont écrit des lettres. 11. Elle
s'est amusée. 12. Elles se sont amusées.

III. 1. Le chant national de la France s'appelle la
Marseillaise. 2. Oui, je me rappelle le nom de l'auteur.
3. Il s'appelle Rouget de Lisle. 4. Il était à Strasbourg.
5. Il avait été invité chez le maire de Strasbourg. 6. Le
maire de Strasbourg a demandé à son invité pourquoi il
n'écrivait pas un chant de guerre pour l'armée.

LEÇON LXVII (p. 434)

I. 1. Vous me devez de l'argent. 2. Non, je ne vous dois
rien. 3. Vous devez me payer. 4. Vous auriez dû me
payer il y a longtemps. 5. Je n'ai pas pu aller chez vous
hier. 6. Est-ce que vous pouvez venir demain ? 7. Non,
je ne peux pas. 8. Si vous pouviez venir je serais très
content. 9. Voulez-vous visiter cette cathédrale avec moi ?

10. Oui, je veux bien.   11. Je voudrais savoir quand elle a été construite.   12. Ce monsieur voudrait peut-être nous le dire.   13. Combien de temps a-t-il fallu pour construire cette église ?   14. Il faut le demander à ce monsieur.   15. Il nous faudra au moins deux heures pour visiter ce château.   16. Il vaut mieux que nous rentrions.   17. Combien valent ces statues ?   18. Si elles étaient en Amérique, elles vaudraient beaucoup d'argent.

II.   1. Je dois aller à Paris la semaine prochaine.   2. Il faut que je rentre de bonne heure.   3. Vous auriez dû m'en parler plus tôt.   4. Il a fallu presque un siècle pour construire cette église.   5. Il vaut mieux que vous restiez à la maison jusqu'à demain.   6. Voulez-vous avoir la bonté de me passer le sel ?   7. Je voudrais être riche pour faire de beaux voyages.   8. Combien devez-vous à votre ami ?   9. Quand pourriez-vous venir me donner une leçon ?   10. Combien de temps faut-il pour aller à la gare ?   11. Cela ne vaut pas la peine de tant dépenser.   12. Est-ce que vous pourrez revenir demain ?

III.   1. Voudriez-vous nous parler de l'art français ?   2. Vous pourriez nous en donner une idée si vous vouliez.   3. Combien de temps faudra-t-il pour le faire ?   4. Vous avez dû voir la cathédrale de Reims.   5. J'aurais dû la visiter quand j'étais en France.   6. La prochaine fois il faudra la visiter.   7. Combien de temps a-t-il fallu pour la construire ?   8. Voulez-vous demander à cet homme-là ?   Il vous le dira.   9. Comment ces humbles ouvriers ont-ils pu construire cette église merveilleuse ?   10. Ils ont dû travailler de leurs mains.   11. Nous ferions mieux de visiter l'intérieur maintenant.   12. Ces vitraux valent beaucoup d'argent.   13. Nous aurions dû visiter aussi les tours.   14. Non, cela n'en vaut pas la peine maintenant, cela nous prendrait trop longtemps.   15. Ce sera pour la prochaine fois.   Nous ferions mieux de visiter ces châteaux maintenant.

(p. 435)

II.   1. Quand a été bâtie cette cathédrale ?   2. Combien
de temps a-t-il fallu pour la bâtir ?   3. Combien a-t-elle de
longueur ?   4. Comment appelle-t-on les fenêtres d'une
cathédrale ?   5. Qui est-ce qui a créé ces chefs-d'œuvre ?
6. Connaît-on leurs noms ?

III.   1. Il ne peut pas jouer de la main gauche.   2. Il
n'a pas pu arriver à l'heure.   3. Il pourra se faire construire une belle maison.   4. Il aurait pu réussir s'il avait
travaillé davantage.   5. Vous devriez lui demander de vous
payer tout de suite.   6. Vous auriez dû venir plus tôt.
7. Il vaudrait mieux ne pas lui en parler.   8. J'ai dû partir
sans avoir déjeuné.   9. Il faut que vous veniez dîner avec
nous cette semaine.   10. Il faudrait que vous alliez lui
en parler.

LEÇON LXVIII (p. 441)

I.   1. Voudriez-vous nous parler de l'art français ?
2. Vous avez promis de parler de Corot.   3. Il n'est pas
nécessaire de parler de Millet.   4. Nous apprenons à
peindre.   5. Aidez-nous à peindre ce tableau.   6. Vous
savez peindre un paysage.   7. Je m'amuse à peindre un
paysan.   8. J'ai l'intention de peindre une bergère.   9. Vous
commencez à peindre très bien.   10. Je vous ai dit de
dessiner une fleur.   11. Continuez à dessiner ce paysage.
12. Vous devriez dessiner mieux que ça.   13. Vous ne
réussirez jamais à dessiner.   14. Je vous ai défendu de
dessiner cette statue.   15. Cela est trop difficile à dessiner.

II.   1. Permettez-moi de vous faire ce cadeau.   2. Je
vous prie de n'en rien faire.   Continuez à peindre.   3. Il
ne tardera pas à être terminé.   4. Il est impossible de faire
autrement.   5. Avez-vous l'intention de terminer votre
travail aujourd'hui ?   6. Pourriez-vous me dire l'heure

qu'il est ?   7. Il est parti sans nous dire au revoir.   8. Travaillez au lieu de bavarder.   9. Il chante toujours en travaillant.   10. Il faut de l'argent pour acheter une automobile.   11. Cette leçon est difficile à apprendre par cœur. 12. Je sortirai après avoir fait mes devoirs.

III.   1. Il n'est pas nécessaire que vous nous parliez de Corot.   2. Vous avez promis de parler de Millet.   3. J'espère être un grand peintre comme lui.   4. Je m'amuse à dessiner des gens et des animaux.   5. Je commence à peindre des paysages.   6. Il est difficile de réussir.   7. J'ai réussi à vendre un tableau.   8. Mes parents ont décidé de m'envoyer à Paris.   9. J'apprendrai à peindre comme les grands maîtres.   10. Il faut travailler dur afin de faire des progrès. 11. Mes amis me plaignent, mais je ne me plains jamais. 12. Avant d'aller en France il faut venir nous voir. 13. Après être arrivé à Paris, je vous écrirai.   14. J'espère vendre beaucoup de tableaux.   15. Les bons tableaux sont faciles à vendre.

(p. 442)

II.   1. C'est Millet qui a peint *l'Angélus*.   2. Il est né dans un petit village de Normandie.   3. Avant d'étudier la peinture il travaillait dans les champs avec son père. 4. Il dessinait les gens et les animaux qui vivaient autour de lui.   5. Son ambition était d'aller à Paris pour apprendre à peindre chez quelque grand maître.   6. Ses parents craignaient de le laisser partir parce qu'il n'avait pas d'argent.   7. Il ne réussissait pas à vendre ses tableaux parce qu'ils ne représentaient que d'humbles paysans au travail.

IV.   1. Il m'a dit de faire mon possible pour ne pas être en retard.   2. Je vous permets de lui dire tout ce que vous voudrez.   3. Il apprend à peindre chez un grand maître. 4. J'espère le voir demain.   5. Elle a consenti à me prêter son livre.   6. Je m'amuse à dessiner tout ce que je vois.

7. J'ai oublié de vous donner ce que j'avais apporté pour vous. 8. Je partirai après avoir fermé toutes les portes. 9. Ils sont partis avant que je (n')arrive. 10. Continuez à faire votre devoir.

LEÇON LXIX (p. 447)

I. 1. Je ne crois pas que je puisse aller à Paris cette semaine. 2. Je ne pense pas que New-York soit aussi beau que Paris. 3. C'est la plus belle ville qu'il y ait au monde. 4. Notre-Dame est la plus vieille église de Paris, autant que je sache. 5. C'est la seule église de Paris qui me plaise. 6. Si l'on aime les fleurs, qu'on aille au jardin du Luxembourg. 7. Quoi que vous fassiez, n'oubliez pas de visiter le Louvre. 8. Il n'y a pas un seul étranger qui vienne à Paris sans visiter le Louvre. 9. C'est le plus beau musée que je connaisse. 10. Quoi qu'on dise, la Tour Eiffel est vraiment belle.

II. 1. J'espère que j'irai bientôt à Paris. 2. C'est la plus belle ville qui soit au monde. 3. Je suis sûr que je m'y plairai beaucoup. 4. Je ne crois pas que je puisse y aller cette année. 5. La Tour Eiffel est le plus haut monument qui soit au monde. 6. Le Louvre est le plus grand musée du monde, autant que je sache. 7. Millet est le seul peintre que j'apprécie. 8. Pensez-vous que Notre-Dame soit la plus belle cathédrale de France ? 9. Qui que vous soyez, dites-moi ce que vous désirez. 10. Faites comme il vous plaira.

III. 1. Il faut nous faire (*ou*, que vous nous fassiez) une description de Paris. 2. J'ai beaucoup aimé Paris. 3. C'est la plus belle ville que je connaisse. 4. C'est la seule ville où l'on puisse flâner toute la journée sans s'ennuyer. 5. Quoi que vous fassiez, il faut visiter le Louvre. 6. Autant que je sache, c'est le plus grand musée du monde. 7. Si le visiteur cherche un endroit qui soit tranquille, qu'il aille au Jardin du Luxembourg. 8. Il peut écouter la plus belle musique que l'on puisse entendre à Paris. 9. Ou qu'il aille à pied dans n'importe quelle direction. 10. Qui que vous soyez, vous aimerez Paris. 11. Je ne crois pas qu'il y ait une église aussi intéressante que Notre-Dame. 12. Que vous soyez homme d'affaires ou simple touriste, il faut la voir. 13. Si un visiteur désire monter au sommet de la Tour Eiffel, qu'il prenne l'ascenseur. 14. Je suis sûr que la vue du sommet de cette tour lui plaira.

(p. 448)

II.   1. Je crois que j'irai à Paris.   2. J'espère qu'il ira en France.   3. Je doute qu'ils aillent en Italie.   4. Je pense que vous pourrez faire cela.   5. Je ne pense pas que je puisse le faire.   6. Pensez-vous qu'ils puissent le faire ? 7. On dit que cette tour est très haute.   8. C'est la tour la plus haute qui soit au monde.   9. Je suis sûr qu'il connaît le Quartier Latin.   10. C'est le seul endroit qu'il connaisse bien.   11. Je voudrais que vous veniez avec moi au Louvre. 12. Je pense qu'elle viendra aussi.

III.   1. Quoi que vous fassiez, n'oubliez pas de m'écrire. 2. Qui que vous soyez, la visite de ces monuments vous intéressera.   3. Qu'il aille où il voudra, mais qu'il me laisse tranquille.   4. Il n'y a pas de plus beau musée que celui du Louvre, autant que je sache.   5. C'est le seul homme qui soit capable de faire cela.   6. C'est le plus brave homme qu'il y ait au monde.

LEÇON LXX (p. 454)

I.   (a) 1. Les Romains allèrent en Gaule.   2. César passa les Alpes.   3. Les Gaulois firent détruire les récoltes.   4. Vercingétorix dut fuir.   5. Il se retira dans Alésia.   6. Les

Gaulois furent entourés.   7. Ils ne purent pas sortir.   8. Ils comprirent qu'ils ne pouvaient pas résister.   9. Leur chef voulut se sacrifier.   10. Ses compagnons eurent la vie sauve.

(*b*) 1. Les Gaulois craignaient que les Romains ne vinssent en Gaule.   2. Vercingétorix ne voulait pas que la Gaule devînt une province romaine.   3. Quoiqu'il fît, il ne put sauver son pays.   4. Il doutait que les Romains pussent prendre Alésia.   5. Il était impossible qu'ils prissent cette ville.   6. Il fallait que César entourât la ville.   7. Les Gaulois se défendirent, quoique toute résistance fût inutile.   8. Il fallut que Vercingétorix se sacrifiât.   9. César ordonna qu'il fût décapité.   10. Depuis cette époque il fallut que les Gaulois parlassent latin.

II.   1. Je suis content que vous appreniez le français.   2. . . . que vous ayez appris le français.   3. . . . que vous fassiez des progrès.   4. . . . que vous ayez fait des progrès.   5. Je regrette que le cours soit fini.   6. . . . que nous n'ayons pas eu le temps de lire beaucoup.   7. . . . que vous n'alliez pas en France cette année.   8. . . . que nous n'y soyons pas allés l'année dernière.   9. Je craignais qu'il ne fût malade.   10. . . . qu'il n'eût été malade.   11. . . . qu'il ne pût pas venir.   12. . . . qu'il ne vînt pas.

III.   1. Je voudrais que vous nous fassiez une causerie sur les origines de la France.   2. Je devrais savoir quelque chose sur ce sujet.   3. Quoique les Gaulois fussent braves, ils ne purent sauver leur pays.   4. Dès que Jules César eut passé les Alpes, ils se défendirent héroïquement.   5. Ils firent détruire toutes leurs récoltes, afin que les armées romaines ne trouvassent pas de provisions.   6. Quand toute résistance fut devenue inutile, ils se retirèrent dans la ville d'Alésia.   7. Ils ne voulaient pas que leur chef se sacrifie (*ou*, se sacrifiât).   8. Ils voulaient qu'il se défende (*ou*, se défendît).   9. Après que les Romains eurent conquis la Gaule, peu à peu le latin devint la langue de ce pays.

10. Bien que la Gaule fût envahie par les Francs, sa civilisation resta latine.   11. Les Francs se convertirent au christianisme et se firent baptiser avec leur roi.   12. Depuis ce moment-là, le pays qui s'appelait la Gaule s'est appelé la France.   13. J'espère que vous avez lu l'histoire de France.   14. Si vous ne l'avez pas encore lue, il faut la lire bientôt.   15. J'aurais dû vous parler aussi de la civilisation française.

(p. 456)

III.   1. Ils furent indépendants.   2. Il ne prononça pas une parole.   3. Nous eûmes des provisions.   4. Vous dûtes fuir.   5. Ils ne purent pas se défendre.   6. Elle sortit de la ville.   7. Je devins brave.   8. Il ne sut pas cela.   9. Nous ne voulûmes pas combattre.   10. Il fallut partir.